C000054159

BARDACHD

Dhòmhnaill Alasdair

Dòmhnall Alasdair Dòmhnallach,

à Garrabost, Eilean Leòdhais

Facal-toisich le Joan Dhòmhnallach
nighean a' Bhàird,

acair

Air fhoillseachadh ann an 1999 le Acair Earranta,
7 Sràid Sheumais, Steòrnabhagh, Eilean Leòdhais

Na còraichean uile glèidhte. Chan fhaodar pàirt sam bith
den leabhar seo ath-riochdachadh an cruth sam bith,
no an dòigh sam bith, gun chead ro-làimh bho Acair.

© na bàrdachd agus an ro-ràdha Dòmhnall Alasdair Dòmhnallach
© an fhacail-toisich Joan Dhòmhnallach
© dealbh an *Sea Jay* Dòmhnall Alasdair Dòmhnallach
© dealbh de Chuidhe 'n Dioba air beulaibh an leabhair Leila Angus, Eòlas

Tha Acair a' toirt taing do Jo NicDhòmhnaill,
airson an taghadh seo a dhèanamh à bàrdachd bràthair a h-athar

Deilbhte, dèanta agus deasaichte le Acair a
Clò-bhuailte le ColourBooks, Baile Ath Cliath

Chuidich Comhairle nan Leabhraichean am foillsichear
le cosgaisean an leabhair seo.

Tha Acair taingeil do Chomunn Gàidhlig Inbhir Nis
airson taic airgid a thoirt don leabhar seo

LAGE/ISBN 0 86152 225 7

Do Chairstìona agus dhan teaghlach

Clar-Innse

Facal-toisich le Joan Dhòmhnallach, nighean a' Bhàird.

'S e beachd pearsanta air an ùghdar a tha seo, oir 's e Dòmhnall Alasdair m' athair, agus bu mhath leam facal a ràdh mu dè seòrsa duine a th' ann agus mar a tha a bhàrdachd air fhighe na bheatha. Riamh on bha mi nam nighinn bhig tha cuimhne agam air ag innse sgeulachdan, no a' gabhail òrain Ghàidhlig dha fhèin - sgeulachdan agus òrain tha a' nochdadh nan rudan a tha togail ùidh fhèin. Cluinnidh sinn fhathast e a-mach air òige agus àite breith faisg air bàgh Chuidh an Dìob ann an Garrabost an Rubha, agus e a' toirt am follais saoghal a tha a-nis air a dhol seachad, ach a tha a' nochdadh tron bhàrdachd corra àm:

Nan èireadh beud do chuideigin
Bha 'n clachan uil' fo uallach,
Gun phàigheadh thigt' a chuideachadh,
No smaoin air càil cho suarach

Tha coibhneas agus caidreachas an ama sin air fhilleadh na fheallsanachd beatha cuideachd, agus 's tric a chuala mi e ag ràdh gur e slat-thomhais sìobhaltachd sam bith, dè cho coibhneil 's a tha iad ris na bochdan. Ach, chan eil inntinn air a glasadh am broinn crìochan an Rubha idir, agus chan eil a smuaintean dìreach a' ruith air na làithean a dh'fhalbh. Tha e cheart cho buailteach a bhith a' bruidhinn air rud a thachair ri Napoleon, no adhartas mìorbhaileach ann an saidheans 's a tha e a bhith mach air mac an t-Srònich no 'mar a chaidh am maor tro Gharrabost'; agus ged is e na h-òrain Ghàidhlig as trice a chluinneas tu air a bhilean, gu h-àraidh an fheadhainn aig Uilleam MacChoinnich às an Rubha, tha e cuideachd dèidheil air a bhith ag aithris Shelley, Byron no Wordsworth.

Tha an sgrìobhadh aige a' dèanamh soilleir cho ealanta agus a tha e air dealbh a chruthachadh le facail. 'S iomadh turas nuair a bha mi nam leanabh a dh'iarr mi 'stòraidh' air, agus dhèanadh e an-àirde tè anns a' bhad, 's mar bu trice bhiodh nighean bheag aig cridhe chùisean!

Tha ùidh agus spèis air a bhith aige sa Ghàidhlig a-riamh, agus ged nach d' fhuair e oideachadh Gàidhlig san sgoil cha robh seo na bhacadh dha sgrìobhadh Gàidhlig ionnsachadh nuair a leig e dheth a dhreuchd aig aois

65, oir chan eil e na nàdar a bhith a' gèilleadh ro dhuilgheadas. Tha e a' creidsinn gu làidir ann an luach a' chànain agus fiach nan daoine tha ga bruidhinn, ach a thuilleadh air sin tha fios agam gu bheil e na thoileachas inntinn mòr dha na sgeulachdan agus a' bhàrdachd a chruthachadh a chithear ann an Gairm no Gasait Steòrnabhaigh no an t-Albannach. A thuilleadh air bruidhinn air teaghlach agus luchd-eòlais 's e na cuspairean as trice a nochdas, a' choimhearsnachd bhon tàinig e, agus *Sea Jay*, an t-eathar bheag a bh' aige gu dhà no thrì bhliadhnaichean air ais. Ach, ged a tha e na thoileachas dha a bhith sgrìobhadh mun *Sea Jay* tha e glè shoilleir dhòmhsa on bhàrdachd fhèin gun tug e tòrr a bharrachd toileachais dha a bhith ga seòladh mun cuairt nam bàgh bheaga a-mach à Steòrnabhagh as t-samhradh no ag obair air na 'h-inventions' a bhiodh e a' dealbhadh agus a' togail sa gharaids fad a' gheamhraidh airson *Sea Jay* a leasachadh. Mar a tha e ag ràdh ann an Ionndrainn:

Chuirinn seachad mo thìd' ann an saoghal leam fhìn,
Ri mo bhàta geal grinn ag èisteachd,
'S i sgoltadh le druim an uisge 's nan tuinn,
'S gam frasadh gun suim às mo dhèidh-sa

Tha e cuideachd a' bruidhinn air a' chogadh agus a làithean san RAF, poileataics agus fèin-riaghladh na h-Alba, eachdraidh agus staid na Gàidhlig. Ach 's dòcha gur e an cuspair as làidire sa chruinneachadh gu lèir, gràdh àite a bhreith:

'S nam shuain air an Aoidh bidh mo thaibhs am bàgh Chuidhe 'n Dìob.

Joan Dhòmhnallach
Nighean Dhòmhnaill Alasdair
An Dùbhlachd 1998

Ro-Ràdh

'S ann air Ceann Shuas Gharraboist, an sgìre an Rubha, a rugadh mi ann an 1919, agus bha mo dhachaigh sa chlachan sin airson trì fichead bliadhna gus an tàinig mi a dh'fhuireach a Steòrnabhagh. Bha triùir eile san teaghlach: Iain, a bha ceithir bliadhna na b' aosta na mi, Dòmhnall, bliadhna na b' òige agus Catrìona, na b' òige na esan.

'S e an taigh-dubh a bh' aig a' mhòr-chuid agus 's e cuimhne cho òg 's a th' agam a bhith coimhead nan daoine a' tughadh taigh mo sheanar air là ciùin grianach. Bha taigh-cèilidh a' bhaile ri taobh an taighe sa agus b' e seo an sgoil altraim a bh' agam.

'S i a' Ghàidhlig a bha a h-uile duine sa bhaile a' bruidhinn an uair ud agus bha m' athair anabarrach math air stòraidh innse. Bha sgeulachdan eile aige air a theanga mar a bh' aig na seanchaidhean. Bha guth binn aig mo mhàthair agus bhiodh i a' seinn laoidhean is òran dhuinn.

Cha robh facal Beurla agam nuair a chaidh mi dhan sgoil, agus tha cuimhne agam a bhith a' samhlachadh còmhradh nan tidsearan ri gàgail nan cearc! As dèidh na ciad bhliadhna cha chuala mi facal Gàidhlig aig tidsear gus an robh mi san Ard-sgoil. 'S e sgoilear Gàidhlig agus bàrd ainmeil a bha sa mhaighstir-sgoile - Seumas MacThòmais - agus bhiodh esan uaireannan a' leughadh 's a' mìneachadh bàrdachd Ghàidhlig dhuinn agus a' teagasg meadrachd, co-fhuaim is ruithim. Aon là bha balach a' mèaranaich agus thàinig am maighstir-sgoile a-mach le sreathan bàrdachd gun ullachadh:

Tha Iain a' mèaranaich
mar leòmhann fiadhaich nam beann,
's tha eagal orm gu sluig e mi
eadar chasan agus cheann.

Chòrd an leasan seo rium air leth math agus tha mi cinnteach mura b' e gu robh maighstir-sgoile Gàidhlig againn nach robh mi air a leithid fhaighinn. Ged nach b' aithne dhomh mo chànan fhìn a leughadh no sgrìobhadh, nach dòcha gu robh bàrdachd annam ag iarraidh a-mach?

Ach 's e am ball-coise bu trice a bh' air m' inntinn aig an àm sa (1934). Chan iarrainn sgur a chluich air idir. Ged a bhithinn fad an là sa pholl- mhònach, dheighinn a chluich gus an cuireadh an oidhche dhachaigh

mi. Bha iomadh cur-seachad eile agam: na peileastairean air an tràigh, na màrbalan aig an sgoil, an 'cat-a-bat' aig an dachaigh; dàmais, cairtean-cluiche, iasgach, snàmh agus sreap nan creagan. 'S iongantach gu bheil mòran an-diugh aig a bheil cuimhne air na peileastairean no na putanan, agus bhiodh e iomchaidh beagan a ràdh mun deidhinn. 'S e leac mu 16" x 9" a bha sa pheileastair agus bhiodh trì nan seasamh ann an sreath agus bhiodh sreath eile mu 20' air falbh. Bhiodh sgioba air gach taobh, gach fear le trì clachan beaga a' feuchainn ri leagail peileastairean an taobh eile.

'S e pìos fiodh a bha sa 'chat' mu 6"x1"x1" agus gach ceann air a dhèanamh biorach. Bheireadh tu cnag bheag do cheann a' 'chait' leis a' 'bhata' - pìos fiodh mu dhà throigh air fad, agus nuair a leumadh an 'cat' bha thu toirt sgleog mhòr dha leis a' 'bhata' feuch gu dè cho fada 's a chuireadh tu e. Bha thu a' faighinn can, còig buillean agus bha a' bhuaidh aig an fhear a b' fhaide a thilgeadh an 'cat'. 'S e seòrsa de ghoilf an duine bhochd a bh' ann!

Airson geama nam putanan bhiodh sinn a' sadadh ar putan feuch cò a b' fhaisg' a chuireadh e air an 'spìd' - bioran beag na sheasamh air àite lom. Bha am fear a chuireadh a phutan na b' fhaisge na càch a' cosnadh nam putanan eile. 'S dòcha gur e 'roulette' an duine bhochd a bha seo! Ach cha ghabhadh sinn dìreach putan sam bith. Cha robh ceadaichte ach feadhainn bhrèagha, gheal (air an dèanamh le adhairc, tha mi smaoineachadh) a bhiodh air dratharsan nam bodach. Bhiodh sinn a' coimhead ris a h-uile sreang aodaich airson dratharsan fada!

Fad an t-samhraidh bhiodh sinn cas-rùisgte, chan ann airson nach robh brògan againn ach airson gur e siud am fasan.

Ach bha cur-seachad eile agamsa. Thàinig orm an sgoil fhàgail, oir bha cosgais an cois a dhol gu Ard-sgoil Steòrnabhaigh. Bha mo bhràthair Iain san oilthigh, agus chuir e nam shùilean gu robh sgoil ann a dhèanadh teagasg tron phost. Thòisich mi air cùrsa dhen t-seòrsa sa agus lean mi air fad trì bliadhna. Dh'ionnsaich mi Beurla, eachdraidh, tìr-eòlas, matamataic, nàdar-fheallsanachd agus ceimiceachd. Bha mi a' cosnadh beagan airgid (leis na phàigh mi airson seo) ag obair air mòine is talamh. Tha e na iongnadh dhomh an-diugh cho dèidheil 's a bha mi air foghlam agus cho dìcheallach 's a bha mi airson gu faighinn e.

Thug Iain leabhar dhomh aig an robh buaidh mhòr orm. 'S e taghadh bàrdachd a th' ann bho Chaucer gu Fitzgerald, a tha agam fhathast. Goirid

an dèidh dhomh fhaighinn, thug mi leam e dhan ionaltradh là brèagha samhraidh. (Bhiodh sinn an uair ud a' buachailleachd a' chruidh.) Thug mo leabhar - *The English Parnassus* - air falbh mi gu saoghal eile, agus nuair a sheall mi timcheall cha robh duine no bò air fàire. Bha a' bhò air a dhol dhachaigh còmhla ri càch, 's chunnaic mi m' athair a' tighinn gam lorg! 'S ann mun àm sa a thòisich mi a' sgrìobhadh rannan Beurla. Thuirt Milton mu dheidhinn Dryden; "He's a versifier but no poet," agus tha mi cinnteach gun canadh e an dearbh rud mum dheidhinn fhìn. Ach bha a bhith nam 'versifier' na thoileachadh dhomh nam òige agus tha e na chur-seachad sòlasach dhomh fhathast aig deireadh mo là.

Chuir mi aon dhe na pìosan bàrdachd seo gu pàipear nàiseanta ainmeil. Bha co-fharpais air choreigin ann, agus gu mìorbhaileach fhuair mi litir bhon fhear-deasachaidh a' moladh nan rannan ach ag innse dhomh nach robh an cuspair a thagh mi freagarrach. "Tha mi an dòchas," ars esan, "gun cuir thu thugam tuilleadh dhed obair." 'S iongantach gun thuig an duine uasal gur e balachan ris an robh e a' dèiligeadh. Cha robh 'obair' eile agam, oir b' e seo a' chiad phìos bàrdachd a sgrìobh mi. Chan eil sgeul no cuimhne a-nis air na rannan sin agus cha mhòr an call, ach cha do chrìon an ùidh a bh' agam ann am bàrdachd idir.

Greis ro chogadh Hitler chaidh mi dhan RAF, agus nuair a dh'iarr iad feadhainn a bha deònach a dhol dha na bomairean chaidh mi air adhart. Sin far an robh mi fad a' chogaidh, agus fhuair mi inbhe oifigeir glè aithghearr. Nuair a sguir an cogadh dh'iarr iad orm fuireach san RAF gus am faighinn peinnsean, agus an dèidh còig bliadhna deug san t-seirbheis fhuair mi sin. Ann an 1939 cha robh mi air a bhith faisg air plèana a-riamh, ach nuair a fhuair mi suas dhan adhar chan iarrainn às. Bha mi dìreach mar gun deach mo bhreith le itean! Nuair a bha càch a' gòmadaich 's a' dìobhairt bha mise a' seinn amhrain Ghàidhlig aig àird mo chinn. Cha chluinneadh duine mi le fuaim a' phlèana! 'S e rèidio is gunnaireachd a roghnaich mi, agus chaidh mi tron an deuchainn a bh' aca dìreach mar a chaidh am maor tro Gharrabost! (Chaidh am maor tro Gharrabost na chabhaig, oir ghlac na bodaich e agus dhòirt iad botal castor oil sìos na amhaich.) Ach chuir coinneamh leis an nàmhaid dreach eile air a' chùis. Leugh mi gu robh a dhol dhan Ghearmailt mar a dhol dhan *Inferno* aig Dante no mar an dealbh meadhan-aoiseil a bh' ann air Ifrinn, ach chan eil sin a' dol faisg mìle air na chunnaic mi. Tha fuaim an Ifrinn; cha robh sinne a' cluinntinn càil ach

fuaim a' phlèana againn fhìn agus fuaim ar gunnaichean fhìn. Bha sinn mar dhaoine bodhar a' coimhead film, oir bha clogaidean oirnn. Chitheadh sinn an teine gu h-ìosal, an t-adhar làn teine, solais-lorgaidh a' dol a-null 's a-nall, ar bomairean fhìn a' dol sìos nan smàl, agus glè thric dh'fhairicheadh sinn am plèana a' crith nuair a thigeadh shell faisg oirre, agus bhiodh fàileadh fùdair ann. Nuair a gheibheadh sinn a-mach às a sin cha robh càil a b' fheàrr leinn ach ceò is sgòthan anns an deigheadh sinn air falach.

'S i a' Hampden a' chiad phlèana a bh' againn. Bha ceathrar san sgioba agus aig an àm sa cha robh uidheam againn airson seòladh (navigation) ach a' chombaist agus an rèidio. Cha robh comasachd an rèidio fada gu leòr airson ceann a deas na Gearmailt 's na h-Eadailt, agus bhiodh dà chalman agam ann am basgaid airson an leigeil mu sgaoil nam feumadh sinn leum a-mach às a' bhomair. Cha bhi e furasta dhan òigridh a chreidsinn gu robh gnothaichean cho fada air ais ri seo. Gu fortanach dhuinne, cha tàinig orm na h-eòin a leigeil às ach aon uair. Bha an dà einnsean againn air reothadh agus bha sinn air tighinn cho ìosal ri 2000 troigh. Bha cabhadh uabhasach ann nuair a leig mi air falbh na calmain bhochd, ach aig an aon àm thòisich an dà einnsean ag obair agus fhuair sinn dhachaigh. Thàinig na calmain an ath latha. Nan robh sinn air tighinn sìos - 's ann os cionn beanntan Bhabhàiria a bha sinn - bha na calmain air innse dè thachair agus càit an robh sinn. Tha seo fada bhon uidheam a th' ann am plèan an-diugh.

'S e an Lancaster an ath bhomair a bh' againn agus cha robh a leithid san adhar an uair ud. 'S ann innte a rinn sinn na turasan ainmeil anns an robh 1000 bomair. Rinn sinn turasan eile air an latha gu Milan agus Genoa. Bha sinn uair is uair anns an adhar airson faisg air deich uairean a thìde. Bha mi fortanach gu robh pìleat air leth math agam - Uisdean Everitt CBE DSO DFC and Bar - a ràinig inbhe Group Capt. Bha sinn còmhla ri chèile fad a' chogaidh agus tha e fhathast a' sgrìobhadh thugam. Chaidh a h-uile duine a bha anns an dà sgioba (leis a' Hampden 's an Lancaster) a chall ach an dithis againn.

Bha mi anns na bomairean mar fhear-teagaisg fada an dèidh a' chogaidh ach bha mi an uair sin aig inbhe Flight Lieutenant agus bha mi mòran dhe mo thìde ann an oifis. Cha robh sin a' tighinn orm idir, ach nuair a bha mo thìde gu bhith an-àirde dh'iarr iad orm fuireach dà bhliadhna eile agus gu faighinn barrachd peinnsean. Dh'fhaighnich mi gu dè am barrachd, agus

thàinig am freagairt 'Còig tasdain san t-seachdain' (25p). Sgrìobh mi a thoirt taing dhaibh airson cho fialaidh 's a bha iad agus ag innse gu robh mòran agam ri dhèanamh aig an dachaigh!

Thog mi taigh an Garrabost agus thòisich mi ag ionnsachadh airson Teisteanas Colaisde Thidsearan nan Dall, agus bha mi ag obair am measg nan dall anns na h-Eileanan an Iar fad seachd bliadhna fichead, ùine a bha làn sòlais. Bha mi a' tadhal air còrr is dà cheud duine dall eadar na h-Eileanan an Iar agus an t-Eilean Sgitheanach 's na h-eileanan faisg air. Chuir mi deagh eòlas air dà bhàrd an sin - Dòmhnall Ruadh Chorùna an Uibhist a Tuath agus Murchadh MacPhàrlain an Leòdhas ach chan ann air bàrdachd a bhiodh iad a-mach ach air cogadh. Bhiodh iad ag innse dhomh mun Chiad Chogadh agus a' faighneachd dhomh mun dara fear.

O dh'fhàg mi an RAF sgrìobh mi dhà no thrì de phìosan bàrdachd a' feuchainn ri innse mu chogadh san adhar, ach chan eil mi riaraichte idir gu bheil iad a' dol faisg air innse na chunnaic 's na dh'fhuiling mi anns na làithean dòrainneach ud. Nuair a bha mi seachad air trì fichead bliadhna dh'aois thòisich mi ag ionnsachadh leughadh agus sgrìobhadh Gàidhlig, agus glè aithghearr thàinig bàrdachd (no 'versification', mar a chanadh Milton) thugam an dràsta 's a-rithist. Uaireannan thigeadh sin ann an Gàidhlig agus uaireannan eile ann am Beurla. On uair sin bhiodh pìos bàrdachd Ghàidhlig agam ann an *Gasait Steòrnabhaigh*. Dh'iarr fear-deasachaidh *Ghairm* orm sgrìobhadh mu dheidhinn mo làithean san RAF agus rinn e moladh cho fialaidh air m' athaisg 's gun do thòisich mi a' sgrìobhadh sgeulachdan goirid airson Gairm. Mura b' e a' mhisneachd a thug an t-Ollamh Ruaraidh MacThòmais dhomh, 's iongantach gu robh mi air rosg a sgrìobhadh idir. Cha robh càil nam rùn ach ionnsachadh Gàidhlig a sgrìobhadh.

Tha mi fada an comain Mhgr Iain MhicDhòmhnaill, Comhairle nan Leabhraichean, agus Joan mo nighean, oir 's iadsan a bha mar mheadhan air an taghadh seo fhaighinn air fhoillseachadh le Acair. Agus mu dheireadh, ach chan ann nas lugha, tha mi a' moladh Cairstìona, mo bhean; tha i air a bhith leughadh mo sgrìobhaireachd o chionn fhada.

Caileag an Dubh-Chuailein

Seinnidh mise duanag mu chaileig an dubh-chuailein,
Nan sùilean gorm' grianach gun mhòrchuis,
Iomhaigh gun ghruaimean, 's ròsan na gruaidhean,
'S an guth as binne chualas le òran.

Nuair a leag mi oirr' mo shùilean na naoidhean lom mùirneach,
Lìon i mo shaoghal le sòlas;
Ghuidh mi ris an Tighearna gum biodh i slàn tèarainte,
'S a cheart cho math 's a dh'iarrainn na dòighean.

Nuair bhiodh i rium còmhla o thàinig thuice còmhradh,
Dh'innseadh i gaol dhomh cho dòigheil,
'S b' e dhòmhsa sin a chluinntinn lànachd mo thoil-inntinn,
'S aoibhneas nach ceannaicheadh an t-òr dhomh.

Tha nise fichead bliadhna bho ghuidh mi ris an Tighearna -
'S ann a' cur tha h-uile bliadhna ri bòidhche;
Sa cheann tha fon a' chuailean tha geur-chùis is stuamachd -
Cò 'n t-athair nach biodh uaill air le seòrsa?

Tha feasgar dhòmhsa ciaradh 's na ciabhagan air liathadh,
Saidhbhreas cha riaraich no stòras;
'N aon nì tha mi 'g iarraidh, gu faicinn i mun triall mi
Sealbhachadh na 's fhiach i de shòlas.

Chan eil air an t-saoghal a chuirinn ro mo ghaol oirr',
Nach caochail gu sìnear fon fhòd mi,
'S ged bu ghnothach searbh e nam feumainn sin a dhearbhadh,
Cha dhiùltainn m' àite fhìn ann an Glòir dhi.

M' Athair

Bu tric mi 'g èirigh ro dheàlradh grèine
Gun stiall ach lèine le braidean neònach;
Bhiodh m' athair gràdhach le fiamh a' ghàire
Cur ormsa fàilte gu blàths na mònach;
Ceò 's a' phìob aig' 's e ga mo shlìobadh,
'S mi cagnadh mìrean dhen aran-eòrna -
'S e seo an còmhnaidh an dealbh tha còmh' rium
'S am fàileadh cùbhraidh o ùillidh 's bòtann.

Bha 'n giomach lìonmhor taobh muigh Sgeir Iomhair,
'S bha sgiobadh gnìomhach gu tric an tòir air -
Le seòl is ràmh ac' is neart an làmhan,
'S e èirigh tràth a bha anns an òrdugh;
Nuair chrochte 'n t-aodach 's a bhuaileadh gaoth i,
'S e Iain daonnan a bhiodh aig sgòd innt'
'N àm clèibh a bhiathadh 's e làmhan chèangaileadh
Nuair bhiodh i fiadhaich le siantan reòthta.

Ghrian na h-àirde 's am bàt' à fàire,
B' e àithn' mo mhàthar, "Glèidh oirr' do shùil,"
Ghaoth cho làidir 's an cuan cho grànda,
Smùid an t-sàil falach bàrr an t-siùil;
Nuair bhiodh i sàbhailt bho spòg an nàmhaid,
Mach à gàbhadh bho mhuir is gaoth,
Faochadh àghmhor an sùil mo mhàthar,
'S cas-rùisgt' thàrainn tro fheur is fraoch.

Gun choiseachd ceum ach nam ruith 's nam leum
Gu ruiginn grèim chur air làmh an òlaich,
'S mi tighinn ri thaobh, 'n sin toirt dha mo smaointean,
'S e freagairt caomh ceistean faoin mo ghòraich';
No còmhradh ciallach mu ghaisgich chiatach
Bha uair a' riaghladh ar dùthaich fhìn;
Tha aon ni cinnteach, b' e siud toil-inntinn
Nach ceannaich saidhbhreas 's nach till an tìm.

Ach anns an àite bha sionnach grànda
'S ann dhan tràill a bha 'm bàta feumail;
Toirt pàigheadh suarach air saothair luachmhoir,
'S e na dhuin'-uasal tro chruadal m' eudail;
Mas fìor g'eil Dia ann le ainglean riaghladh
Thug cead dhan Diabhal air luchd an fhòirneirt,
Nach saoil sibh rèiste gur duais na bèist'-s'
Bhith nis ga cheusadh an loch na dòrainn?

Sgrìobhadh Bhriain MhicUilleim

Tapadh leat airson do
   sgrìobhaidh,
Faobhar geur a ghleus an fhìrinn,
Gonadh uaislean 's àirde cìrean
Cealgaireachd is lochd;
'S ag innse mar tha lagh na
   rìoghachd
Dìteadh dhaoine bochd.

Soilleireachd a bhith gad
   chluintinn,
Tha e dhomh na mhòr thoil-inntinn,
Do chath ri mèirlich oighreachd
Bheag is mhòr;
Tha iad uile, tha mi
   cinnteach,
Ortsa 'n tòir!

Tuilleadh cumhachd dha do
   làmh,
Diùlt do luchd an fhòirneirt tàmh,
Seall dhuinn aingidheachd ar nàmh,
'S dhuts' a' bhuaidh;
Bidh thu 'n aghaidh sruth
   a' snàmh
Gu bruach na h-uaigh.

Ach ann an dubhar sgleò
     nach sgaoil,
Riaghladh borb gun ghràs gun ghaol,
Samh nam breug nach moch an t-aol
'S ceartas marbh,
'S fheàrr cainnean chur ri
     coinneal chaol
Na crùbadh balbh.

An Nighean

Cho fionnar ri fuaran a' ghlinne,
Cho fìorghlan ri lilidh na pàirc,
Cho laghach ri eala na linne,
Cho coibhneil ri calman na h-àirc.

Cho umhail 's a dh'iarradh an duine,
Gun bhuaireadh na broilleach a-riamh,
Cho blàth ri bonnach air fhuine,
Gnìomhach aig dachaigh 's air sliabh.

Stuam' ann am beartas no bochdainn,
Fiosrach gun mhòr-chuis na dhual,
Foighidneach ri laig' agus lochdan,
Gun ghruaimean, gun ghamhlas, gun uaill.

Ach a' mhìorbhail as iongantaich' a th' ann,
Gun iarradh i gibhtean a chleith,
'S nach tàinig e riamh na ceann
G'eil i càil ach mar tèile san t-sreath.

Mas aithne dhut idir an nighean,
Ma tha i nad inntinn gun fhalbh,
Tha aon nì cinnteach mu deidhinn -
'S ann an aisling a chunna tu dealbh!

Dùsgadh Anabaich

Ann an cogadh '39-'45 's ann a' leagail bhomaichean air an
nàmhaid a bha mi. Bhiodh sinn a' suidhe ann an rùm mòr gus an
tigeadh àm falbh, agus 's e seo a' chuimhne as làidir' a tha agam
air na làithean sin.

Fad' bho thaigh m' athar
Nam shuidhe ann an cathair,
Mo shùil air a' chagailt
'S air lasair a' ghuail,
Feitheamh an òrdugh
Dhol suas dha na sgòthan
Os cionn na Roinn-Eòrpa
San dorchadas fhuar.

Chan eil mi nam aonar
A-nochd anns an t-seòmar -
Nan cadal no 'còmhradh
Tha mòran eil' ann:
Oigridh ghlan bhòidheach
Le gruaidhean gun chòinneach
Bho dhachaighean brònach
Is pàrantan fann.

Air sgèith tha mo smaoin
Thar cuan agus raoin
Gu cuideachd mo ghaoil
Agus m' eòlais -
Gu m' athair 's mo mhàthair
An dràst' ann an àmhghair
Gun càil ac' an làthair
Ach dòchas.

Cha b' ann dha mo dheòin
Thàinig cadal cho ciùin,
'S air eilean mo rùin
Ann an aisling bha mi;
Mar sgàthan am bàgh,
Geal-ghaineimh air tràigh,
Sàmhchair an àigh
Agus sìth.

B' anabaich mo dhùsgadh
Nuair chuimhnich mi às ùr air
Na mìltean gunna spùtadh
Gar lèireadh;
Solais-lorg cho dìreach
Mar pheansailean a' sgrìobhadh
Eachdraidhean gun bhrìgh
Air na speuran.

Bha tiotadh ann mar uairean,
Beatha 's bàs air tuaiream,
Fuil is feòil is buadhan
Nan èiginn;
'S am fear nach fhac' le shùil e,
Cha thuig e nis co-dhiù e -
'S e gòraich' a bhith 'n dùil
Gum bi spèis aig'.

An dùsgadh ud gu h-àraidh,
Cha dhìochuimhnich gu bràth mi -
Bu dorr' e dhomh na 'n gàbhadh
'S an lèireadh;
'S ann an siud bha 'n àmhghar
Nach lùiginn dha mo nàmhaid -
'S gann gun tuig an Sàtan
Gu lèir e.

Am Bàta Briste

Och, och, nach tu chaidh ìosal!
Asnaichean brist' is inneal gun sgeul air,
Druim air iathadh le feamainn is feusgan
'S clòimh na smuig às do shròin,
Ròpan lobht' le fionnadh de dh'fheur orr',
Sgeith a' chuain mu do thòin.

An darach a dhìon thu
Air lobhadh 's air crìonadh,
Do chrann gun sgeul air
No bileag dhen t-seòl,
'S an stiùir a bha riaghladh
Na criomagan breòit'.

'S e sgiobadh an-diadhaidh
A thilg thu gun stiall ort
'S gun càil a' cur dìon ort
Bho thuinn a' chuain mhòir -
'S cinnteach gum b' fhiach thu
Ceann-crìoch na bu chòir'.

'S e sgiobair beag-sùim
Nuair a dh'fhàs thu cho tinn
Nach do bhàth thu aig doimhn'
Ann an dubhar a' chuain,
Far nach buaileadh na tuinn
Tha buaireadh do shuain.

'S do bhruadar mu latha na b' fheàrr,
Do shròn a' sgoltadh an t-sàil,
Srann aig na ròpan gu h-àrd
'S lùb anns a' chrann -
Cò theireadh an dràst'
Gu robh 'n latha sin ann.

Droch dhuais aig deagh shaothair
Cha theirig 's cha chaochail
Measg dhaoine gun chaochladh
Gan lèireadh o chian;
'S e sochair do shaoghal-s'
Nach aithne dhut pian.

An Taigh-Cèilidh

Air cùl na còmhla gailleann a' gheamhraidh,
Teine le slabhraidh 'm meadhan an làir,
Lasair a' danns le blàths an t-samhraidh -
Argamaid, amhrain, rabhdan is gàir.

Cearcan air spiris is mart air an stiall,
Oisgean le mèil anns a' chùil,
Each anns an stàball a' cagnadh a bhiadh;
'S e ghrìosach bu mhiann leis a' chù.

'N duine bha riamh ann, 's cuimhne leis ceò,
Mar leisgean de sgòth nach seargadh,
Slabhraidh le fionnadh dhen t-sùith mar chòt'
'S a' ghrìosach cho beò ris an deargad.

Timcheall an tein' ud bha barrachd air blàths,
Bha càirdeas is gràdh ann dha chèile:
Cha robh dòigh aig aonaranachd idir air fàs
Am measg fealla-dhà an taigh-chèilidh.

Bodaich le eachdraidh nan gaisgeach cho treun
Chuir an lagh ann an grèim gun chion-fàth
Tro uachdarain shuarach, gun uallach, gun fheum,
A ruaig an clann fhèin 's a chuir caoraich nan àit'.

Sgoilearan sgoinneil a choisinn gach cliù,
Tre thuigse agus tùr a rinn èirigh,
Mòran dhiùbh measail an dùthchannan ùr
Fada bho stùil an taigh-chèilidh.

Maraichean duineil a thill às na blàir,
Nach fhacas na b' fheàrr anns an Nèibhidh,
Balaich a chuala mu cheart agus ceàrr
Nan suidh' air an làr san taigh-chèilidh.

Gillean le gibhtean nach tàinig gu fiù
Tro chion-iùil is bochdainn an àraich -
Rin cainntearachd èibhinn le criomagan ciùil
Na cailleachan-sùith dhèanadh gàire.

Beag a-nis th' air sgeula dhen linn sin,
Beag aig 'eil cuimhn' air na tobhtaichean fuar,
Ach ag amharc orr' chì mi 'n dràsta nam inntinn
An coitheanal cruinn mar a bha e aon uair.

Cluinnidh mi eòlaich san àite bha còmhnaidh,
Sgeulachdan neònach 's an tòimhseachan cruaidh,
Cunntaidh mi 'n àireamh a b' àbhaist bhith còmh' rium -
'S tric a tha 'n còmhradh a' tighinn às an uaigh.

Am Bomair

Do ghob a' tolladh nan speuran,
Do sgiathan a' sgoltadh nan neòil,
Mar eun à Ifrinn a dh'èireadh
Gun fhuil, gun ite, gun fheòil;
Lèirsgrios nad chom agus lèireadh
'S am bàs na do ghunnaichean caol;
Air bòrd tha balaich làn geur-chùis
Bho phàrantan coibhneil is caomh,
O na dh'ionnsaich iad onair is aoigheachd
Is eòlas air nithean tha naomh;
Ach sgriosaidh ad fìrean is faoigheach,
A' mhàthair 's a naoithean caoin:
Ach, a Dhè, na cuir coire air na suinn -
Cha b' iadsan a rinn an taigh-caoich.

An t-Eadar-Dhealachadh

Le sùil air mo chùl dè chì mi?
Airgead dha-rìribh bha gann,
Ach gun teagamh bha lànachd san tìr seo
'S bha 'n nàbachd ro phrìseil do chlann.

Thig iasgach nan sgeirean nam chuimhne,
Dubhan air loidhne le biathadh maoth,
Sìos creagan àrda gu doimhne -
Gobhar beag-suim thèid nan gaoth.

Tilleadh le eallach de shaoidhein
Gun uachdaran fhaighneachd, gun chìs,
Cho pròiseil ri prionnsa le oighreachd
'S le cridhe làn aoibhneis gun phrìs.

Spealadh a' choirc', spìonadh an eòrna,
Cruinneachadh mòine le bara no cliabh,
Tional nan òisgean, tiormachadh clòbhair,
Nàbachd dhòigheil aig bail' agus sliabh.

Gach oidhche leughadh m' athair an Fhìrinn,
Urnaigh shìmplidh chuireadh e suas,
Ghuidheadh e tròcair, gràs is sìth dhuinn,
'S gu sealladh an Rìgh oirnn uile le truas.

Fòirneart borb tha nise mun cuairt
Chan fhacas aon uair air sràid -
Bann ar nàbachd bho shinnsearachd shuairc
An lagh bu chruaidh' anns an àit'.

Tha 'n saoghal a-nis gun iochd gun nàbachd,
Eagal ro nàmhaid oirnn air gach taobh;
Staigh no muigh chan fhairich sinn sàbhailt',
Gun nì air fhàgail idir tha naomh.

Biadh is bùrn is àile an t-saoghail,
Sgudal a' sgaoileadh orr' anns gach tìr,
Sgrios gach bàrr is beath' air an taom e,
Creachadh ar saothair 's ar dòchais an tìm.

Creideamh a' sgaradh gach fin' agus treubh
Le nàimhdeas gun fheum gun stàth;
Gach buidheann ag èigheachd g'eil Dia leotha fhèin
'S g'eil an Diabhal a' riaghladh aig càch.

'S mathaid fhathast gu faighear ùr-eòlas
A chaisgeas a' ghòraich' tha 'm fàire,
Ach tha e glè dhuilich bhith cuidhteas eu-dòchas
Do bhodaich bha òg air an àirigh.

Aig Taisbeanadh Talla a' Bhaile

Ged dh'fheuchainn ri innse mu dheidhinn mo shinnsir,
Bochdainn is strì a bha cràiteach,
Doilgheas is dìcheall is nàbachd ro phrìseil,
Is fearann gun bhrìgh ga àiteach -
Cò bheir cluas do luinneig cho truagh
Nuair tha taisbeanadh buan anns an àite,
Eachdraidh an t-sluaigh air a sgeadachadh suas
Le grinneas cho buadhmhor àillidh?

Iadsan chuir dòigh air sgeulachd cho mòr,
Chan e m' òran-sa moladh a b' fhiach iad,
Duais gu leòr cha dèan airgead no òr -
Bidh sinn rè ar beò nam fiachan;
Cha b' ann gun sùim a chaidh ullachadh dhuinn,
Cha mhol mi na suinn mar a dh'iarrainn,
Bu chòir gum biodh cuimhn' air sgreatachd an linn
Le taisbeanadh cruinn gu sìorraidh.

Leugh mi le uaill mu ghaisgich an t-sluaigh
Dh'fhairich teas agus uallach a' bhlàir
Ri uachdarain chruaidh gun chùram gun thruas
A chuir mòran gu truaigh' is gu bàs;
Le fallas an gruaidh ag àiteach 's a' buain,
Iomnaidh is uallach gach tràth;
Gun cinnt air duais, air ceartas no cluas,
Mar buar aig uaislean an àit'.

Le cas-chrom is croman, crògan is corran,
Dh'àitich iad fearann gu toradh is buain,
Chuir iad eathair an òrdugh le ràimh agus seòl oirr',
Is choisinn iad beòshlaint à doimhneachd a' chuain;
Dòigheil is coibhneil is riaraicht' len cuibhreann,
Umhail don oighreachd, modhail is suairc',
Fo lagh a rinn diabhail le cridheachan iarainn -
Ainglean an Tighearna cha chuireadh leis suas.

Is iomadh blàr cruaidh anns na choisinn iad duais,
'S minig a bhuannaich an talamh;
Chan eil tìr fon a' ghrèin nach deach iad an grèim,
'S bhiodh an nàmhaid fhèin gam moladh;
Mòr bha 'n cruadal ach suarach na fhuair iad,
B' e 'n cuibhreann an cruas 's a bhith falamh;
'S dòcha gu saoil sibh, ged leò bhiodh an saoghal,
Gun phàigh iad ro dhaor len cuid fala.

Nuair a thilleadh an saighdear gun sgeul air a' mhaighdean -
Dachaigh is saibhlean nan tobhtaichean fuar,
Cuideachd is càirdean air an sgiùrseadh mar thràillean,
'N tìr san deach àrach cur chaorach ro shluagh -
Shaoilinn gun smaoin e ag amharc na aonar
Air coin agus caoraich far 'n robh sinnsear aon uair:
"Iadsan a bhàsaich ri aghaidh ar nàmhaid,
'S math leam an dràsta nach fhaic iad an duais."

Rinneadh moladh gu leòr air na h-uachdarain mhòr -
Bha iad uile cho còir, tha mi leughadh,
Fialaidh len òr air innis 's tìr-mòr,
Daonnan an tòir a bhith feumail;
B' e 'n croitear an Sàtan le bhrochan 's a bhuntàta,
Leisg 's an deoch làidir bu dhèidh leis -
Bha e tòrr na b' fheàrr dha teicheadh dhan fhàsach
Na gànrachadh 'n àit' air na fèidh orr'!

Nuair a theasaich a' chùis 's am buaireadh tighinn dlùth,
Chaidh comann a' Chrùin chur air bhonn,
Duin'-uasal gach ball, thàinig iadsan a-nall,
Agus uachdaran, Gall, os an cionn;
Cò ris a bhiodh dùil aig bodaich à Uig
Ach an coma-co-dhiù bhon a' Ghall?
Chriomag a dh'iarr iad cha d' fhuair dhith ach stiall iad
'S làn-cheartas gu sìorraidh air chall.

Ach rinn Napier feum a thug dhaibh a' chiad ghrèim
Air na choisinn iad fhèin dhan tìr sa,
Agus ceum air cheum gu croit an là 'n-dè,
Tha 'n taisbeanadh fhèin gha innse;
Ach le cumhachd nach gann tha uachdarain ann
'S cha theirig an sannt no an cìsean -
'S e toibheum do Dhia g'eil fhathast fon sgiath
Am fearann a dhìon ar sinnsear.

Ann an ceud samhradh thèid iomadh rud a chlamhradh
Agus brisidh ioma slabhraidh tha oirnne,
Ach ged dh'abaicheadh buntàta gun fhearann 's gun àiteach
Agus coirce bhith fàs à sìol eòrna,
Ged bhiodh iasg anns an fhàsach is craobhan sa bhàgh sa
Far an tric a shnàmh mi nam òige,
Dìreach mar tha 'n dràsta, bidh uachdarain a-màireach
Sanntach is grànda nan dòighean.

Oraid a' Bhàta

Thusa, a bhodaich mu chladaich a' dabhdail,
Ag èisteachd ri càch 's gam àicheadh gun abhsadh,
Bidh d' aithreachas buan 's do ghruaim cha theirig -
'N tèid thu dha d' uaigh a' cuartachadh sgeirean?
Sheòlainn an dràsta gu àiteachan thall thu,
Mo bhratach a' smèideadh 's thu fhèin a' seinn amhran.

Canaidh do dhaoine gur faoin agus dall thu,
Gun dh'fhàs thu cho gòrach o thòisich thu rabhdail;
Bidh d' eòlaich a' cànran 's a' càineadh co-dhiù,
Ach seòl an cuan mòr 's cha chòrd riu ach thu,
D' fhàrdach 's do chàirdean cuir ràidh air do chùl,
Fuadach do ghruaimein 's cuir uaill na do shùil.

Gàgail an t-sàil a' fàgail mo sh ròin,
Gìosgail nan crann is srann aig gach ròp,
Siaban nan tonn le fonn anns an t-seòl,
Claisean cuain liath 's gun sgeul air tìr-mòr;
'S luachmhor, a luaidh, aon uair ann an glòir
Na fad beatha bhuan fo uallach bith-beò.

Seo agad bàta an dràst' air a cùrs'
A chuala mu chàch a b' àbhaist o thùs
Na cuantan a shnàmh le ràimh agus siùil:
Birlinn nan tràillean le cràdh is cion-dùil;
Clippers à Sìona le tì anns gach cùil,
Iasgairean dòigheil bha eòlach air stiùir.

An fheadhainn bha measail, tha fios air an sgeòil,
Tha mòran san doimhne gun cuimhn' air an seòrs',
Tha tuilleadh air tìr tha 'n ìre mhath breòit';
Bheatha th' aig eathar 's an tè tha aig feòil,
Cha mhair i ach tiotadh mar iteig an eòin -
Tha mhionaid an làthair 's do bhàta fo sheòl.

Giorraich mo sheòl 's mo sgòd-sa teannaich,
Ceangail thu fhèin mus leum fear greannach,
Coma leat buain is fuadaich Earraich;
Cala do mhiann fo ghrian no ghealaich,
'N ear e no 'n iar, cha chrìon mo ghealladh,
An tiotadh gu fìor bidh 'n tìr às do shealladh.

(Cha b' ann airson stuadh ach uair a' bhaile
Thill mis' am bàta gu bàgh is cala;
Rinn i sin fuaim nach cualas bho eathar.)
A ghealtaire thruaigh, nach suarach do leithid -
Bu lugha dhomh nàire mo bhàthadh an lòn
Na tòn chur ri tuinn nach taisich mo shròin.

M' iarraidh 's mo mhiann fear nach paisgeadh mo shiùil,
Gaisgeach na òige le eòlas air stiùir,
A shiùbhladh gu sìorraidh gun fiamh air a shùil.
(Fhreagair mi h-òraid le òrdachadh: èist!
Ma nì mi do mhiann-sa bidh 'n diathad gun fheum,
'S mura till mi gun mhaille bidh chailleach na bèist!)

Nàbachas

'S mòr dhomh am faochadh
Bho bhuaireas an t-saoghail
Nuair shiùbhlas mo smaointean
Gu faoineas na h-òig';
Gach nì th' ann an nàdar
Na mhìorbhail cho àillidh,
Na sràidean bha sàbhailt'
'S an nàbachd gun ghò.

Am cuir is àm buain,
Am iasgach a' chuain,
Cuideachd gun ghruaim
Bha uasal nan dòigh;
Dh'aindeoin dìth agus cruas
Dhèanadh freasgairt gun duais,
Bha fialaidh ri truaigh'
Is truasail ri bròn.

Am cabhadh is gèile
Bhiodh bodaich a' cèilidh
Bha dàimheil ri chèile
Agus geur-chuiseach, seòlt';
Bhiodh balaich ag èisteachd
Rin eachdraidhean èibhinn -
'S iomadach eucoir
A dh'èignich na seòid.

Buidh'-ghealach na buain,
Ciùin-fheasgar gun fhuaim
Ach naosg fada bhuam
Cho luath air a sgèith;
No traon air an t-sliabh,
Brù-chainntear nan eun,
Dà ghuth anns an fheur
'S gun sgeul orra fhèin.

Sheasainn nam aonar
Air carraigean aognaidh,
'S an cuan orra taomadh
Gun fhaochadh gun tàmh;
Chithinn an sùlair,
Mar bhabhta bho fhùdar,
A' siubhal cho siùbhlach
Gu spùtadh e sàl.

Cha robh dèideagan ann
(Bha airgead cho gann),
Ach eathar rinn clann
Le crann agus seòl;
Abair aoibhneas is uaill,
Gun ghuth air an uair,
'S iad a' dearbhadh a luaths
'S a' fuaradh air lòn.

Saoil sibh 'n e 'n òige
Cho grianach is bòidheach
Tha mealladh mo sheòrsa
Ann an gòraich na h-aois,
Cuir dìochuimhne air dòrainn,
Air fògradh is fòirneart,
'S a' bruadar air sòlas
Bha glòrmhor le saors'?

Bha barrachd air m' òig' ann,
Barrachd air sòlas -
Bha dìomhaireachd mhòr ann
Nach aithne dhomh inns';
Nam faigheadh sinn còir air,
Nan tilleadh gu leòr dheth,
Bhiodh nàbaidheachd beòthail
Is òirdhearc an tìm.

San tìr nach eil smaoin
Air mòran ach maoin,
Bidh nàbaidheachd chaoin
Na faoineas gun fheum;
Nuair lìonar na saibhlean
'S a chunntar an saidhbhreas,
Bu chòir a bhith faighneachd
Bheil aoibhneas dha rèir.

Gach goireas a bhuannaich,
Gach innleachd a fhuair sinn,
Gach stòras is uaisleachd
Air uachdar na tìr -
Aol-tàthaidh gun aol iad,
Mar eaglais gun daoine iad,
Mar phòsadh gun ghaol iad
'S an naomhachd seo dhìth.

A' Chlach-Ghleusaidh

'S e tomhas a shaothair
Gun chaith e cho caol thu,
A' gleusadh an fhaobhair
A' leagadh nan diasan;
'S ioma speal ris na shuath thu,
'S ioma corran a bhuail thu,
Is osnaich a chual' thu
O bheul-san.

Moch madainn Diluain
Aig toiseach na buain,
Bu taitneach am fuaim
Ri èisteachd;
Nuair a shlìobadh e 'n t-iarann,
Rid chliathaich ga ghleusadh,
Gun gearradh e 'n fheusag
Gun èiginn.

Tiugh thuiteadh na diasan
Ron fhaobhar a ghleus thu,
'S bhiodh ràn aig an iarann
Tron arbhar;
Bliadhna 'n dèidh bliadhna
A' bearradh nan crìochan,
Bha bheatha na deuchainn
A mharbh e.

'S ann tro fhallas a mhaoil
A dh'fhàs thusa caol,
Tro chlaoidh tha thu maol
Agus rèidh;
Ged bhiodh e fhèin fann,
Bha dìon ort nach gann -
Cha robh barrachd air an lanns'
Aig an lèigh.

Bha thu luachmhor dhàsan
A ghlèidh thu cho sàbhailt'
'Son foghar nach tàinig
Ga chlaoidh-san;
Nuair a lorg mi an dràst' thu
Dh'ath-bheothaich mo ghràdh air
Bha cho iriosal, bàidheil
Is coibhneil.

Sgapt' Tha na Gillean

Sgapt' tha na gillean
Am bailtean 's an cillean
Chaidh thairis na linne
Nar n-itealain fhìn
Dhèanamh marbhadh is milleadh
Le òrdugh an rìgh.

Chaidh iad dìleas thoirt buaidh
Air Adolf na truaigh',
Le lèirsgrios gun thruas
Bho na speuran,
Le misneachd is cruas
Nach gèilleadh.

Tha fios gu robh thìde
Sgailceadh a chìrein,
'S an Nazi a dhìteadh
Gu sìorraidh,
Na nathraichean lìogach
An-diadhaidh.

Biodh foighidinn aig d' òige
Ro bodaich gad bhòdhradh
Le eachdraidh na dòrainn
'S an lèirsgrios -
Nach beag dha na seòid
Duine dh'èisteas?

Uair an dèidh uair
Tro ghailleann is fuachd,
'M bàs shìos agus shuas
Air an tòir,
Air bruaich na h-uaigh
Fad am beò.

Chunnaic an sùilean
An losgadh a' spùtadh,
'S fàileadh an fhùdair
Nan cuinnlean;
Tha oidhcheannan dùbhlaidh
Nan cuimhne.

Cluinn esan a bh' ann
Le deoch-làidir na cheann,
'S còmhradh nach gann
Gun bhrìgh -
Bha oilltealachd ann
Nach gabh inns'.

Bha 'n dòchas cho mòr
Ann an làithean na h-òig'
Gun coisneadh iad còir
Do gach tìr,
Ann an saoghal làn stòrais
Is sìth.

'S fhad' o thiormaich na deòir
A shil cuideachd nan seòid
A bhàsaich cho òg
Air ar sgàth;
Saors' na tha beò
An càrn-cuimhne gu bràth.

Chan fhaigh aois orra còir,
Cha dèan mealladh an leòn,
Cha bhuail orra 'm bròn
Th' againn fhìn,
Coimhead ìobairt cho mòr
Dol a dhìth.

O Dhè ann an nèamh
A chruthaich gach treubh,
Nach deònaich thu sèimh'
Dhar saoghal!
'N àite fuath gum biodh rèit'
Eadar daoine.

Inneil Tha Briseadh

Tha m' aignidh fo thinneas,
Mo shaors' air a milleadh,
Air m' iadhadh le inneil
Tha briseadh gu làitheil;
Tha h-uile seòrs' inneil
Nar beath' air am filleadh,
'S gu sìorraidh cha thillear
Gu bara nan làmhan.

Tha 'm bucas air briseadh,
Chan fhaigh mise smid às,
Tha dealbh mar fir-chlis air
'S chan aithne dhomh chàradh;
Chan eil e siud idir
Mar glob agus siobhag
A dh'fhàgadh tu thuige
Gun lide dhol ceàrr air.

Tha 'n dealan cho siùbhlach
Ri peilear bhon fhùdar,
'S tha 'm blaigeard cho diombach
Ma thèid mi na àrainn;
Ma bhriseas am fiùs aig'
Cha lorg mi sa chùil i,
'S bidh 'n dorchadas dùbhlaidh
Gu madainn a-màireach.

Tha Hoover na dheuchainn -
Nuair thèid mi ga fheuchainn,
'S ann leigeas e sgreuchan
Ron teicheadh an Sàtan;
Tha e buntainn rim chiall-sa -
Nuair thogas e iarann,
Bidh ràn aig an diabhal
Mar bheathach na àmhghair.

Nam chabhaig gu leum mi
Gu fòn tha gun fheum dhomh,
'S a' chailleach ag èigheachd
Nach caraich an càr;
Le gailleann is fuachd
Bidh 'n tein' againn truagh,
'S cha leighis mi ghruaim
Le dhà na thrì fhàdan.

Chuala mi 'n dràsta
G'eil inneal san àite
Le eanchainn nach bàsaich
Tha làn dhe gach eòlas;
Gu dearbha, 's e shaoilinn
Nach fhada bhios daoin' ann
Le comas air smaoin ac'
Ach putadh an òrdaig.

Saoil sibh 'n e fìrinn
A chunna mi sgrìobhte,
Gun fhuaireadh aon innleachd
Gach inneal a chàireas -
Ma thig e dhan tìr seo,
Bidh mise ga shlìobadh
Le ola cho prìseil
Ri gin a bh' aig Phàraoh.

Ar Saorsa

'S e 's dorra leam fhìn
Mar tha daoine mo thìr air fàs,
Gun smaoin ac' no luaidh
Air ar suidheachadh cruaidh an dràst':
Aig Sasainn fo chìs
An ìnean spìocach gun àgh,
Dèanamh tàir air ar strì,
Am maighstir a' dìmeas a thràill.

Tha mòran dhen t-sluagh
Air an ceannach gu buan mar thà -
Am pròis anns an uaigh,
Chan iarr iad ach uaisleachd na h-àit';
Mar mhucan aig amar
Riaraicht' bhith reamhar gu bàs,
Am fèin-mheas air crìonadh,
'N gràdh-dùthcha gu sìorraidh ri làr.

Cuid eile tha truagh
Tro bhochdainn is cruas an àit',
Air an tàladh nan suain
Le breugan nan uachdaran àrd,
Tha 'g adhradh dhan òr
'S ag imleach bhrògan gun tàmh,
Sireadh tiotal is glòir
Gun smaoin air an dòrainn aig càch.

Chailleach tha riaghladh an dràsta
Le teachdaireachd làidir is cruas,
Tha i dèanamh dìcheall gu h-àraid
Alb' a chàradh san uaigh,
Adhlaicht' na cuibhreann de Shasainn,
Gach òirleach fo casan gu buan,
Aon cheannard, aon chultar, aon chànan,
Ar cleachdaidhean àghmhor nan luath.

Ach dùisgidh fhathast ar dùthaich,
Tha gaoth às ùr a' sèideadh,
Ar bratach thèid a sgaoileadh,
'S gach taod a rinn ar lèireadh;
Trèigidh sinn a' choille
'S duibhre doire na h-èiginn,
Fàsaidh an dorchadas soilleir,
'S far an robh doille bidh lèirsinn.

Ar Fearann

Thàinig an toiseach na caoraich,
'S iadsan a shaothraich an t-àit',
Ruagadh iad dhan an tràigh mhaoraich
No dhùthchannan craobhach thar sàil;
Cha robh fèill no iarraidh air daoine
Ach air maoin dhan uachdaran ghrànd' -
Bha dàimh is càirdeas mar fhaoineas
Aig caoch nan uaislean gun ghràs.

Thàinig an uair sin na fèidh ann,
Do dhaoine gun fheum no stàth;
Chaidh ainmeachadh coilltean gun chraobhan
Far am faigheadh na maothagan tàmh;
Duine dhol faisg orr' chan fhaodadh,
Air caoraich bha bacadh sa phàirc -
Bha na h-uachdarain uile cho aontaicht'
An tìr a bhith aognaidh is fàs.

Thàinig a-nise na craobhan
Tha sgaoileadh thairis gach sliabh,
Falach na dùthcha gach taobh dhinn
Far 'n robh daoine a' còmhnaidh a-riamh;
Nach saoil sibh gur suidheachadh faoin e
G'eil daoin' air an t-saoghal gun bhiadh,
'S sinne lìonadh na tìr le craobhan
Seach g'eil cus dher raointean fo shìol?

Tha nis uachdarain ùra nar saoghal
Cho sanntach is lùbach ri càch,
Goid air na seòid a rinn saothair
Gu beòshlaint fhaotainn sa bhàgh;
A' gheòla as lugha chan fhaodar
Acrachadh saor ris an tràigh -
Cò chuireadh aghaidh air fùdar
A dhìon ùghdarras leithid a ghràisg?

Tha thìd' aig na daoin' againn èirigh
'S cur rèit air ar fearann is rian,
Casg a bhith daonnan fo lèireadh
Aig uachdarain èisg agus fhiadh:
Gum biodh caoraich, fèidh agus craobhan
Còmhla ri daoin' aig gach sliabh,
Gach sgìre le h-obraichean fhèin,
Gach nàbachd le sèimhe gun fhiamh.

Tha cunnart an obraichean mòra
Gun an còrr de bheòshlaint mun cuairt -
Nuair a dh'fhàilingeas malairt dhen t-seòrsa,
Tha bochdainn is bròn air an t-sluagh;
Far 'eil obraichean beag ann an àite
Cha bhi 'n àmhghar idir cho cruaidh -
Ged a dheigheadh aon chun an làir ac',
Togaidh càch a' choimhearsnachd suas.

Cumha Iain

Mo Bhràthair

Nam aisling rinn sinn crathadh làimh
'S chuala mi 'n guth dàimheil milis,
Ach dhùisg mi madainn moch Dimàirt
'S bha thu mar tha gu bràth air d' fhilleadh
Am fuachd 's an cadal a' bhàis
Ann an Auckland, New Zealand.

Chuimhnich mi air làithean grianach,
Sinn ag iasgach maoin na mara,
No air oidhche gheamhraidh, fhiadhaich
Ris a' ghrìosaich bhlàth a' garadh,
'S ag argamaid mu nithean dìomhair
Bhios gu sìorraidh oirnn air falach.

Air cho fad' 's o dh'fhalbh thu uainn,
Air cho buan 's gu robh 'n t-slighe,
Bha ar smaointean air an uair,
Mall no luath, a bhiodh tu tighinn;
Ach 's dìomhain coimhead ris an uaigh -
'N dùthaich fhuar às nach tillear.

Ach thig rim inntinn iomadh àm,
Ar n-òig' a bh' ann o chionn fhada,
Is ar sòlas nach robh gann
Ann am bann teann na dachaigh,
Nuair a bha thu air ar ceann
Anns a' ghleann 's air a' mhachair.

'S cianail g'eil thu ann an tìr
Na mìltean mìle thar sàil -
Chan fhaic mi far am beil thu sìnt'
Fad bho shinnsearan nad thàmh;
'S truagh cho goirid 's a bha 'n tìm
Bha agam fhìn na do dhàil.

An t-Aite

Chan eil ceàrn sa chruinne-chè
A bhios cho tric nam inntinn
Ris an àit' san robh mi 'n-dè:
'N Dùn Mòr gu Bun an Uillte.

Chan eil bealach, chan eil tulach,
Chan eil dùn no doimhne,
Chan eil glumag, chan eil mullach
Air na chaill mi cuimhne.

Dh'òlainn deoch à Srùp a' Ghlinne
An asgaidh is gun thruailleadh,
'S chuirinn dubhan dhan an linne,
'S gheibhinn breac corr' uair leis.

Sròn Chalamhain 's mi gun bhrògan -
Seasaidh falt mo chinn-sa
Cuimhneachadh air gòraich' òige,
Dìreadh siud mar staidhre.

Biodh i fliuch no biodh i fuar,
Mus tàinig bùrn na pìoba,
Lìonainn làd dhen uisge chruaidh
Bha 'm fuaran Chuidhe 'n Dìoba.

Sgeir Tha Muigh 's an Sgeir Tha Staigh,
Clach an Ròin nam fhianais,
'S le tràigh reothairt ceum on taigh,
Dhearcainn air Sgeir Iomhair.

Cuidhe Lor 's an Cladach Mòr,
Làn crodh-bainne 's ghamhna,
Bàtaichean gu mall fo sheòl
Air feasgar bòidheach samhraidh.

Sa Chnoc Dhubh bhiodh bratach shuas
Air là buain na mònach,
Ach 's gann g'eil duine 'n-diugh mun cuairt
A thuigeas brìgh mo chòmhraidh.

Tha nis an coigreach anns an àit'
'S an cànan cèin na cheann aig',
Ach fiù an òigridh th' ann an dràst',
Chan ainmich bàgh no gleann ann.

Uisdean Everitt

Dòchas aige gun coinnich sinn ...

'S iomadh feasgar chaidh sinn suas,
Biodh i fliuch no biodh i fuar,
Cabhadh geal no reothadh cruaidh,
'S na neòil cho luath dol seachad oirnn.

Stiùireadh tu sinn chun an àit'
Tron an losgadh dhan a' bhlàr;
Lèirsgrios leagadh sinn gu làr
'S bail' an nàmh gun creachadh sinn.

Bha thu iriosal nad dhòigh,
Bha thu stuama 's bha thu stòld',
Seasmhach anns a' ghàbhadh mhòr,
'S nuair bha thu òg bu dreachail thu.

Tha nis dà fhichead bliadhna 's còig
O chunna mis' thu anns an fheòil:
Tha d' fhalt air liathadh, d' fhiaclan breòit' -
'N aois, a sheòid, cha d' sheachain thu.

'S am fear bha còmhla riut sa bhlàr
Leis an òige 's leis an t-slàint',
Chan eil ach plaosg an-diugh na àit',
'S chan fhàiltich thu dol seachad e.

Ma choinnicheas sinn ri chèile 'n dràst',
Gun nì gar ceangal ach na bha,
Bidh dà choigreach air an t-sràid,
San àl seo sinn air seacharan.

Truailleadh Edein

'S cuimhne leam làithean
Bha bàigh a' Chuain Sgìth
Fìorghlan is sàbhailt',
Gun sgàig orm ro nì.

Nis tha fuar-dhealt gu h-àrd
Ann an àile gach tìr
A' tuiteam gu làr
Mar phlàigh uisge-mìn

Air maoth-mheasan àlainn,
A' mhil tha sa chìr,
Air lusan a' ghàrraidh
Is àiteach gach glìob;

An gràn thig thar sàile,
Buntàta san sgrìob,
Feòil chaoraich bhàna,
Bainne bà agus ìm;

An t-iasg a tha snàmh
Sna bàigh againn fhìn -
Tha 'm puinnsean 's gach àit'
Agus pàighear a' phrìs.

Tro dhìmeas air nàdar
Tro thàir' air ar dìleab,
Thruaill sinn uisg' agus àile
Agus ghànraich sinn Eden.

Cha bhi 'n tìr sàbhailt'
Gu 'm bi nàmhaid fo chìs -
Sannt dhaoine gu h-àraidh,
Tha e 'n nàdar ar sìl.

Chogais nì e sàmhach,
'S e Sàtan a rìgh,
Dall far 'eil àmhghar,
Agus sàsaicht' cha bhi.

Soraidh leis a' Mhòine

Seachain orm an toirsgeir,
Mallachd oirr' is meirgeadh,
Air a smeachan seargadh
Bha searbh dhan a' bhàrd.

Fallas na mo shùilean
A' rìochadh 's a' rùsgadh,
Freumhaichean cho diombach
Gun dhùisg mise 'm blàr.

Cur ceap air an ùrlar
'S a' feuchainn ri stiùireadh,
Mus milleadh e a' mhòinteach
Bha mùirneach aig càch.

Mnathan agus daoine
Am bàrr-fhàd àrd a' sgaoileadh,
'S mus ruigeadh sinn an caoran,
Bu daor dhuinn am blàths.

Fad mo làithean-saora
Ri tiormachadh a' chaorain,
Nuair a bhiodh mo smaointean
Air daoin' eile a' snàmh.

Soraidh leis a' mhòine,
Mo mhallachd air an smùr aic';
Chuir e dìosg nam shùilean -
Mo chùl ris gu bràth.

Nì cha do chòrd rium
Ach biadh anns a' mhòintich,
Na càirdean cruinn còmhla,
Gun bhòrd ach am blàr.

'S tric a thig rim chuimhne
Na sgiobaidh bha cho coibhneil;
A' mhòr-chuid cha chluinn mi -
Tha na suinn aig tàmh.

An Oiteag

Thòisich o chian anns a' Ghàidhlig
Crìonadh is cnàmh is èiginn,
Ar còmhradh ri uchd a' bhàis,
Gun ghràdh, gun spèis, gun èisteachd.

Nis tha oiteag an saoghal ar cànain,
Gaoth nach b' àbhaist bhith sèideadh;
Chan fhada gu fàs i làidir,
'S thig oiteag fhathast gu gèile.

Feadhainn nach canadh ach "Ciamar a tha?"
Nise gach là ga leughadh,
Tadhal nan clasan an iomadach àit'
'Son ionnsachadh cànan a' Ghàidheil.

Riaghladh a dh'fheuch ri mùchadh gu bràth
A' tuigsinn nach cnàmh 's nach eug i,
Gach pàrtaidh a' gealladh nach leig iad gu làr
An còmhradh bh' aig Adhamh ri Eubha.

Clann nach cual' i riamh aig pàrant
Bruidhinn sa Ghàidhlig ri chèile,
Feadhainn a dh'fhuadaich cainnt am màthar
Nise làn nàire gun thrèig iad.

Thig misneachd ùr am fàire,
An àite sgàilean bidh lèirsinn;
Ionnsaichidh milleanan Gàidhlig
'S measar an cànan a rèir sin.

Leumaidh i thairis gach gàrradh,
Fàgaidh i làr an taigh-chèilidh,
'S cluinnidh sibh "Ciamar a tha?"
Aig uaislean àrd Dhùn Eideann.

Iadsan a dhìon i on nàmhaid,
Moladh gu bràth dhan treubh ud -
Sheas iad gu dìleas sa bhlàr
Nuair a bha càch a' gèilleadh.

Beul na h-Oidhche

Am beul na h-oidhche
Le gealach chruinn ann,
Tha 'n dràst' nam inntinn
O chuimhne m' òige.

Mo mhàthair ghràdhach
A' dol dhan bhàthaich
A bhleoghan na bà ann,
'S am bàrd le lòchran.

Bhiodh naosg an uair sin
Air sgèith mun cuairt oirnn,
'S a' siubhal luath
Dèanamh fuaim mar òran.

Bhiodh traon gu h-ìosal
Sna claisean feurach
Le torghan cianail
Taobh shìos an eòrna.

Bha m' inntinn riaraicht'
San oidhche dhìomhair,
Mo shaoghal grianach,
Gun sgeul' air dòrainn.

Tha beul na h-oidhche
A-nis gam chlaoidh-sa,
Ach na feasgair ghrinn ud
Bidh chaoidh nan sòlas.

Mo Dhùrachd

"Nam faighinn mo dhùrachd,
'S e lùiginn bhith òg,"
Cha sheallainn ri àiteach,
Ri bàthach no bò;
Sheachnainn an àirigh
Fo shàil nam beann mòr,
Cha bhiodh caora nam àrainn
Ach a-mhàin air a' bhòrd.

Ach gheibhinn deagh bhàta,
Crann àrd is dà sheòl,
Gach uidheam as fheàrr
Agus càball gu leòr;
Dh'fhàgainn am bàgh sa
Chur fàilt' air cuan mòr,
'S bhiodh mo chupan-sa làn
Am measg fàileadh nan ròp.

Nuair a ruiginn Butt Leòdhais,
Adhar ròsach gu 'n iar,
An cuan aic' fo sròin
'S dà òirleach fo beul,
'S e mhadainn bhiodh bòidheach,
Gun sgòthan air sgeul,
Na siùil gheal a' bòcadh
'S fearann Leòdhais dol sìos.

Chan eil tìr fon a' ghrèin,
Ma tha grèim aic' air sàl,
Nach fhaiceadh *Sea Jay*
Sgrìobht' air cèaban mo bhàt';
'Son trì bliadhna thrèiginn
Taigh-cèilidh 's taigh ceàird,
'S bhithinn riaraicht' an dèidh sin
Sa chèidse mar chàch.

Biadh

Thuirt an lighich' nuair a b' òg mi
Gur i feòil a dhèanadh treun mi,
Ach a-nis 's e their an t-òlach:
"Ris a' ghòraich' na bi 'g èisteachd.

Ith an duilleach tha sa ghàrradh,
Measan Spàinteach agus Greugach;
Seachain thus' am bainne blàth
Na do phàist air 'n robh thu dèidheil.

Seachain ìm is seachain bàrr,
Seachain càis is sgudal bèiceir;
Millidh bùidsearan do shlàint'
'S an deoch làidir ni do lèireadh.

Ith buntàta leis an rùsg air,
Lìon do bhrù le na snèapan,
Bruich an curran 's òl an sùgh aig',
Ith càl ùr àm laigh' is èirigh."

A' mharag fhuar a bha cho càilear,
Loma-làn de gheir gach tè ac',
Ruaig na lighichean len tàir i -
Chan eil àit' aice nan creud-san.

Sgadan saillt' is deagh bhuntàta,
Bha sinn gràdhach air is spèiseil,
Ach 's e chanas iad an dràsta,
Millidh salann slàint' gach creutair.

A h-uile biadh as caomh leam fhìn,
Canaidh lighich' nach eil feum ann,
Ach fad' no goirid bhios mo thìd',
'S fhada tìm air càl is snèapan.

Aig àm na Nollaig 's àm nam bòidean,
Am nan còcairean as fheàrr,
An cualas càil a-riamh cho gòrach
Ri bhith beò air snèap is càl?

Fuaran Chuidhe 'n Dìoba

Bha fuaran uisge fìorghlan
An lagan Chuidhe 'n Dìoba,
Uisge nach robh pìoban
A' truailleadh;
'S ioma ceud bliadhna
Bho shil a' chiad deur às,
'S ioma tart a riaraich
On uair sin.

Chan eil a-nise sgeul air -
Far 'n robh gaineamh bhrèagha
Tha eabar agus feur ann
Is buachar;
B' fhiach agus b' fheàrr dhuinn
Bhith air a ghleidheadh sàbhailt',
'S bhlaiseadh iomadh àl
An deoch uasal.

Nach cianail ar dìochuimhn'
Air caraid bha cho fialaidh,
'S ar dìmeas a thiodhlaic
A bhruachan;
Ach fhathast thig an èiginn
Ma thruaillear na slèibhtean,
'S gu cinnteach bidh fèill
Air na fuarain.

Cha bhi fios a chaoidh
Aig an òigridh tha leinn
Air rud a tha nam chuimhne
Mun fhuaran;
Deoch à muga cheàird,
'S am pathadh air mo chràdh -
Siud am fion a b' fheàrr leam
A fhuair mi.

A' Chuthag

Fuath ort fhèin a chuthag ghorm
Led òran meallta milis -
Tha seirm do bheòil
Cuir fios gu eòin
G'eil àm a' bhròin air tighinn.

Gùg, gùg an neoichiont na do bheul
'S do shùilean geur air innis
An nead bog blàth
A shaothraich càch -
Theid thus' gun dàil ga mhilleadh.

Bidh dachaigh ghrinn aig d' ugh 's aig d' àl -
Chan ann led àrach-s' idir,
Gad chluiche fhèin
Bho ghèig gu gèig,
'S làn fèinealachd do chridhe.

Mus tig am fuachd thèid thus' air chuairt
Thar chuain gu cluaintean tioram;
Nad chridhe cruaidh
Cha neadaich truas,
No smaoin aon uair air d' isean.

Nàir' ort fhèin, a bhradag ghorm,
Chan eil cho borb air spiris;
Bidh ortsa gràin
Gu faigh thu bàs,
Aig eòin gach blàir is innis.

'S mairg a bhiodh ag iarraidh d' àit',
Gun ghràdh air mac no nighinn -
'S ann mu do sheòrs'
Thuirt Solamh mòr
Nach ròst an leisgean sitheann.

Danns an Rathaid

Bha mi aig danns nan uaislean,
Nam chluasan cànan cèin -
Tric dheigheadh m' aigne an uair sin
Thairis a' chuain air sgèith

Gu gealach abachaidh àlainn,
Oigridh an àite cruinn,
Gillean bha geurchuiseach làidir,
Clann-nighean bha càilear is grinn.

Ceann rathad Phabail ar pàileis,
Morghan ar làr airson danns,
Fuaim càirdeil na Gàidhlig -
Saoghal beag sàbhailt' a bh' ann.

Fear le aon chois anns an dìg,
Meileòidian binn air a ghlùin,
Gu minig fear eile le pìob,
Ach bìog cha robh air mì-rùn.

Chanadh èildear no dhà san sgìre,
"'S e peacadh dha-rìribh a th' ann" -
Bodaich a' cìreadh a' Bhìobaill
'Son cìs a chur air a' chloinn.

Tha 'n saoghal ud air falbh gu bràth,
Chaidh e bàs le mhath 's le dhona,
Ach a bheil cinnt an dràst'
Gu bheil òigridh ar là nas sona?

Am Bomair Lancaster

Air dhomh a faicinn ann an taigh-tasgaidh

'S cuimhne leam an là bha fèill ort,
Là bha d' ainm sa h-uile pàipear;
Là bha nàmhaid gar lèireadh,
'S tu fhèin a rinn an riasladh.

Nise san taigh-tasgaidh sàbhailt',
Bidh do smaointean air na làithean
Nuair bha sìobhaltachd gach àite
An cunnart bàis aig biastan.

'S iomadh oidhche gharbh is fhuar
A chaidh thu tarsainn a' chuain tuath,
Tron an lèirsgrios shìos is shuas
Gam bualadh anns an iarmailt.

Bidh cuimhn' agad air gillean òg'
Bha gad stiùireadh tro na neòil,
Tron an losgadh, tron a' cheò,
Nach tuig ach seòid a liath e.

Bha ceudan dhe do sheòrsa fhèin
Air an oidhch' a' tolladh speur,
'S sibhse bha nar cadal sèimh
Cha phàigh gu lèir na fiachan.

Sna h-itealain a th' ann an-diugh
Tha innleachdan nach b' aithne dhut,
Ach an cruadal mòr a dh'fhuiling thus'
Cha thachair riu gu sìorraidh.

'S ma chanas cuid le sealladh cùil
Nach d' rinn thu fhèin cho math 's bha dùil,
'S iomadh dìmeas tha nar cùrs'
A bhios na chliù aig Dia dhuinn.

O, Nam Faicinn Alba Saor!

O, nam faicinn Alba saor
Mus tuit a' chraobh sa dhan talamh,
Bu shuarach agam g'eil mi aost';
Dh'fhàsainn aotrom is fallain -
O, nam faicinn Alba saor!

Dhèanainn sùgradh 's dhèanainn ceòl,
Sheinninn òrain mar ghille,
Lìonainn glainne 's dhèanainn òl,
'S shaoilinn gu robh m' òig' air tilleadh -
O, nam faicinn Alba saor!

Chan eil Albannach cho truagh
Nach bi buadhmhor is sona
Nuair a choisneas sinn a' bhuaidh,
Nuair a chì ar sluagh an solas -
O, nam faicinn Alba saor!

Coma leibh bhith sireadh maoin,
Biodh ur smaointean air Uilleam:
B' fheàrr dhuinn a bhith beò air taois
Na bhith air an taod fo bhuillean -
O, nam faicinn Alba saor!

Tha rìoghachdan a-bhos is thall
Ag iarraidh slabhraidhean a ghearradh -
'M beil ar riaghladh fhìn cho dall
'S gun ceus iad sinn le ball is spearrach?
O, nam faicinn Alba saor!

Chuala mi aig sruth a' chaoil,
Aig a' ghaoith 's aig allt a' ghlinne,
Gu bheil an aimsir air ar taobh
'S gu bheil an t-aonadh fo thinneas -
O, nam faicinn Alba saor!

Nuair a bhios ar dùthaich saor,
Thèid am fraoch fhèin na lasair;
Bidh gach beinn is allt is craobh
'G èigheachd 'Saorsainn bho Shasainn' -
O, nam faicinn Alba saor!

An là sin sgaoilidh sgàil is sgòth,
Buille 's beò thig na cuisil,
A fèin-mheas tèaraint' is a pròis
Mar a bha i 'n dòrn a' Bhrusaich -
O, nam faicinn Alba saor!

Ionndrain

Gach seòl a bha ann aig àirde nan crann,
'S na ròpan cho teann 's a bha feumail,
B' aoibhneach am fonn a lìonadh mo cheann,
'S mo bhàta na deann anns a' Chèitean.

Am baile le chùram bhiodh fad' air mo chùlaibh,
'S an cuan fo mo ghnùis chun nan speura;,
'S tric bhiodh mo shùil air bòcadh nan siùil,
'S bhiodh beò anns an stiùir nam ghrèim oirr'!

Chuirinn seachad mo thìd' ann an saoghal leam fhìn,
Ri mo bhàta geal grinn ag èisteachd,
'S i sgoltadh le druim an uisge 's nan tuinn,
'S gam frasadh gun sùim às mo dhèidh-sa.

Nuair a sheòlainn do bhàgh chuirinn m' acair an sàs,
Bhiodh gaineamh no làthaich cho rèidh ann;
Bhiodh a faileas fo màs ann an sàmhchair an àit',
'S dh'òlainn deoch-shlàint' a deagh bheusan.

Ach bho dhìobair mo shlàint' 's an aois air mo chràdh,
'S e seachnadh a' bhàt' a dh'fheumainn,
'S nuair a chì mi càch an-diugh air an t-sàl,
Tha ionndrain a' dàil nam cheum-sa.

An t-Eathar Ghiomach

Bha uair a bhithinn còmhla ri uaislean aig bòrd,
'S corr' uair 's e giomach a dh'itheadh na seòid,
Agus thigeadh nam chuimhne na suinn ud nam òig'
A bha togail an àil le ràmh agus seòl.

Bho bhàgh Bun an Uillt bhiodh sgoinn orr' a' falbh,
Ann an eathar gun dìon bho shiaban na fairg';
Tric bhiodh i fuar, corr' uair bhiodh i balbh,
Ach goirid an dàil gus am fàsadh i garbh.

Bhiodh Pàdraig a' stiùireadh le cùram nach gann,
An sgòd gun a ceangal aig Iain gu teann,
Red agus Nònan gun bhonaid nan deann
Cho sàbhailt is siùbhlach cur slat ris a' chrann.

Chan fhàgadh iad còs sa Bhogh' Mhòr gun fheuchainn,
Strùpair, Clach an Ròin, an Eòr is Gob Shiadair,
Laga Dubha, Clach an Rubha 's à sin gu Sgeir Iomhair,
Ach an dèidh gailleann cha bhiodh sealladh air cliabh ac'.

Nuair a thilleadh na gillean cha robh cidhe san àit' -
'S e saothair a shlaodadh am bàta gu tràigh;
Le dusan mar dhuais bhiodh uaill orr' mu thràth,
Tighinn dhachaigh le buaidh mar uaislean à blàr.

An cosnadh cho cruaidh, bu shuarach na bh' ann,
Ach bha iad fhèin riaraicht' nam biathadh e 'n clann;
Cha robh ceannard gam buaireadh no uachdaran ann,
'S tha sòlas dhen t-seòrsa san t-saoghal cho gann.

Gaol na h-Oige

Dè 's fheàrr san t-saoghal
Na bhith saor agus òg,
Trom ann an gaol
Agus aotrom gun ghò,
Gun smaoin air an aois
Le daorsa 's le bròn,
An samhradh ann daonnan
Gun ghaoth is gun sgòth?

Càit 'eil an saidhbhreas
Nì aoibhneas a' ghaoil?
Càit 'eil an oighreachd
Làn shaibhlean ri thaobh?
An gaol sa nach fhaighnich
Mu chuibhreann no maoin,
A dhìreas gach beinn,
Cumhachd binn agus naomh.

An gràdh-sa le neoichiont
Le shochair 's le bhòidean,
Cho dall ri na clachan,
Mar lachan na h-òige;
Cho uaine ri fochann
Aig toiseach an Og-mhìos,
Sa chaisteal sa chlachan,
Clach-oisein an t-sòlais.

Air saoghal tha fuar,
Air cruas is air bròn,
Air deuchainnean cruaidh
Tha 'n dual ar bith-beò,
Air mealladh is fuath,
Air buaireas is lèon
Cha smaoinich aon uair
Gaol buadhmhor na h-òig'.

Nì e tulchuis cho faoin,
Nì e caoch anns a' cheann,
Nì e 'm pulaidh cho caoin
'S tha aodann gun ghreann -
Mar naoidhean a shòlas
Nuair dheòth'leas e chìoch,
Ach seargaidh e 'n còmhnaidh
Nuair thig eòlas is ciall.

An t-Ospadal Ur

Chunnaic mo shùilean an t-ospadal ùr,
A bheulaibh 's a chùlaibh cho dealbhach,
Na ceudan de chùiltean is mìltean brat-ùrlair,
Seallaidhean is cùisean rinn balbh mi.

Cliù dha na daoine, rinn iad deagh shaothair,
Gach clachair is saor agus searbhant -
Moladh dha na seòid chuir an taigh air dòigh,
Moladh dhan a' Bhòrd nach robh cearbach.

Ma thèid thu 'n dràsta choimhead air an àite,
Biodh combaist nad làimh agus dearbh i;
Pìleat bu shàbhailt', 's fuirich air a shàilean,
Oir 's tric thèid thu ceàrr gun fear earbsach.

Tha 'n t-ospadal mòr, 's nì thu coiseachd gu leòr
Mus dèan thu gach seòmar a lorg ann,
'S ged a bhios tu sgìth, bidh uaill na do chrìdh'
Gu bheil àite san tìr sa cho ainmeil.

Cailleach air mo bheulaibh,-"Abair gum bi biadh ann,
'S thig bodaich glè iargalt' ga dhearbhadh -
Nuair a gheibh iad an leòr, chan fhàg iad am bòrd
Gus an deothail iad an òrdag 's an sgealbag!"

Banaltraman àlainn, coibhneil is càilear,
Frithealadh 's gach ceàrnan gun dearmad;
Bidh lighichean nach ceàrr air a h-uile làr
Toirt furtachd do chràdh moch is anmoch.

B' fheumach an t-àite air an deagh fhàrdach,
'S lùigidh gach àl gum bi sealbh aic';
Ceud bliadhn' bhon dràsta bidh tinn agus slàn
A' beannachadh an là chaidh a dealbhadh.

A là 's a dh'oidhche bithidh e nar cuimhne,
Nach e togalach a chaoidh a bheir ainm dhuinn
Ach coibhneas is saothair agus sgilean ar daoine,
Ma ghleidheas sinn iad daonnan gun seargadh.

Tha eagal orm fhìn, agus nì mi dhuibh inns',
Gun tèid mo thoirt tinn dhan taigh ainmeil,
'S nuair a bhios mi slàn gun dèan mi ann dàil
Gus an cuir iad snàthad nam earball!

Lìonaibh glainne gu bàrr agus òlaibh deoch-slàint' -
Bidh mòran an tràth seo le farmad;
Gleidhibh e le cùram 'son eileanan ar còmhnaidh
'S na èistibh ri dùrdail luchd-airgid.

Bagh na h-Eòra

Bu chaomh leam seòladh
Gu Bàgh na h-Eòra
Air madainn bhòidhich
Gun deò a' sèideadh,
Gun agam seòldair
No caraid còmh' rium
Ach cuimhn' air òigridh
O spòrs mo Chèitein.

Chan fhaic mi làrach
Rinn bròg air tràigh ann,
Cha chluinn mi cànan
Am bàgh ar spòrsa;
Tha 'n t-àit' air fhàgail
Aig creagan àrda,
'S cha dèan mi àicheadh
Nach fhàs mi brònach.

Oir thriall an t-àl ud
De ghillean àlainn,
Sgapt' mar tha iad
Gu bràth bhon eòlaich,
Bhiodh anns a' bhàgh sa
Air Là na Sàbaid,
Le mire 's mànran
Sa chànain cheòlmhoir.

Nuair chunnt mi 'n àireamh
Bhiodh anns an àite,
'S a lìon am bàgh sa
Le gàir' an t-sòlais,
Far 'eil an dràsta
Mac-talla sàmhach,
Bha dusan àbhaist,
Is b' àrd an còmhradh.

Chì is chluinn mi
Na h-eòin a' seinn ann,
Ròn aig doimhne
'S biast-dhubh a' còmhnaidh;
Ach gillean coibhneil
Tha na mo chuimhne,
Chan fhaic a chaoidh mi
Iad cruinn ann còmhladh.

Allt a' Bhonnaich

Thòisich Alba sa bhlàr sa,
Seo a' bhuaidh a rinn slàn i,
Bho nathair-nimhe sàbhailt'
Bha oirre ghnàth an tòir.

Sgailc na làmhthuaigh air iarann,
Sitrich nan each 's an sgreuchail,
Sleagh a' tolladh, sgian a' reubadh,
Lasair lann an làmhan seòid.

Seo far na bhuaileadh na faobhair,
Seo far na rugadh ar saorsa
Ann am fuil 's am fallas ar daoine,
Mar aon a' dìon an còir.

Tha e san fhasan an dràsta,
Magadh na dhìon sinn bho nàmhaid,
Ar gràdh-dùthcha dol bàs oirnn,
Dìmeas 's a' màbadh ar seòid.

Ach nan robh bhuaidh aig Sasainn,
Nan robh 'm Brusach ac' fon casan,
Dè 'n-diugh a bhiodh againn
Ach glasan is bròn?

Cha bhiodh sgeul air ar cànan
Le ceòl is le bàrdachd,
Bhiodh a' Ghàidhealtachd na fàsach
Aig ceàrdan is eòin.

Dheigheadh ar cultar a mhùchadh,
Ar foghlam 's ar cùirtean,
Ar gnàthan tha mùirneach,
Gach dùil agus dòigh.

Cha bhiodh Alb' air ar dùthaich,
Bheireadh Sasainn ainm ùr oirr',
Air a' mhap 'Tir nam Bùban',
Tìr gun chliù gun phròis.

Mòr-urram dhan bhlàr ud,
Dha na gaisgich bha 'n làthair;
Biodh uaill oirbh, a chàirdean,
'S gleidhibh blàth ur dòchas.

Ged tha Brusaich cho gann,
Buaidh bidh 'n Tìr nam Beann,
Bidh Allt a' Bhonnaich eil' ann
Gun bualadh lann no dòrn.

Tuiream Iain Mhic a' Ghobhainn QC MP

Cha b' aithne dhaibh e fhèin,
A chèile no chlann-nighean,
Ach nuair chualas gun dh'eug e,
Gu robh 'n èiginn air tighinn,
Cho-fhuiling gach treubh
A bha leughadh mu Iain,
'S chruinnich coigrich làn spèis
Dhàsan bha 'n-dè nar meadhan.

Cha robh Ceartas na dhùisg,
No bha chùl ris an talamh,
Nuair a leig e dhan ùir
Fear cho tùrail 's cho ealant';
Dh'fhàg sin Alba fo thùrs',
Ait' an fhiùrain fuar falamh -
Caillidh an ròs a shùgh
Nuair a bhios luibhean fallain.

Bha ar n-earbsa cho mòr,
Bha ar dòchas cho buileach,
'S tha Alba fo bhròn,
Oir cha sheòl e sinn tuilleadh;
Tha e sìnte fon fhòd
Mus do thòisich a thuras -
Carson a' bhàsaich e òg
Is a ghlòir ris a' fuireach?

Mar gun eugadh am Brusach
Tro thubaist neo-àbhaist
Ro Bhlàr Allt a' Bhonnaich,
'S an donas am fàire,
Chaidh Alb' a ghonadh,
Chan eil sonas san àit;
Tha 'm bàta gun stiùir
'S am fear-iùil air a bhàthadh.

Tha nuallan nan tonn
Gach oidhch' a' tuiream,
Tha uisge nan allt
Gu mall a' sruthadh;
Tha guth anns a' ghaoith:
"Cha till ar curaidh";
Tha Ghàidhlig a' caoidh
Nach seinn e i tuilleadh.

Tha e nise fuar sìnt'
Ann an I Chaluim Chille,
Ann an cuideachd nan rìgh
Agus sinnsear nan cinneadh;
'S thig a theaghlach gu I,
Sùilean mìogach a' sileadh -
Bidh mulad nan crìdh'
'S chan eil lighich' dhan tinneas.

Am Fac' E?

"Chòrdadh a' bheatha sa rium fhìn" -
Cha b' ann às an tìr bha mo charaid
Ach à meadhan a' bhaile mhòir,
Gun eòlas air bò no gamhainn.

Bha 'm poll-mònach fada, dìreach,
'S a h-uile mìr dheth ceithir fòid,
Sgaoilteach rèidh le mòine làn
'S a' ghrian a' deàlradh, togail ceò.

Am fac' e làraich an iarainn
Sa pholl nan ceudan gun àireamh?
Dh'fhairich mi sgìths na mo shliasaid,
'S nam dhruim am pian bha cho sàraicht'.

As t-fhoghar bha 'n t-arbhar san adaig,
Na badan eadar buidh' is geal:
"'S mi fhìn a bhiodh sona san àite" -
Am fac' e ràthan na speal?

Aig Càrn-Cuimhne Shir Seumas

An fheansa dhlùth iarainn
Bha uair a' cur dìon air,
Air caitheamh 's air crìonadh,
'S am feur a' fàs àrd;
Sàl geur a' Chuain Sgìth
Agus siantan na tìd'
Air milleadh na sgrìobh iad
Cho dìleas air clàr.

Nan robh bodach à Beàrnaraigh
Air moladh do bhàidhealachd,
'S e 'n teisteanas àraidh sin
A b' fheàrr na na th' ann,
Ach sgrìob cha do dh'fhàg e
No croitear bha 'n làthair -
'S e mhol thu do chàirdean,
Le gàgail nach gann.

Chan eil guth ann an Sìona
Far na mharbh thu na mìltean,
Cur puinnsean nam pìoban
Fad na tìd' bha thu thall;
Chan eil guth mar a fhuair thu
Do mhilleanan suarach
A tràilleachd nan truaghan
Nach do bhuannaich ach call.

Cha do smaoinich thu riamh,
Nuair a choisich thu 'n sliabh,
Gum biodh *graffiti* gun chiall
Ag iadhadh do thùir;
Cha do smaoinich do chàirdean,
Nuair a thog iad an càrn sa,
Gum biodh òigridh an àite
Dèanamh tàir air do chliù.

Biodh sin mar a tha e,
Cha dhìon mis' a' ghràisg sin,
Ach 's ann gòrach a bha i
Chuir an-àird e bho thùs;
'S e uabhar is uaill,
Mòr-chùis gun luach,
Bhith ga mholadh san uaigh
Bha cho cruaidh is beag diù.

Na leugh do bhean thàireil
Mu iodhal san fhàsach
(Rinn Shelley air bàrdachd)
Airson Phàroah na h-Eipheit?
Ma thachair sin dhàsan
Bha na dhia anns an àite,
Buan no sàbhailt'
Cha bhi càrnan Shir Seumas.

Nan innseadh i 'n fhìrinn,
'S e dh'fheumadh i sgrìobhadh
Gun ruaig e ar sinnsear
Bha mar innear na shùil;
Tha taibhsean nan truaghan
An dràsta mun cuairt orm -
'S e 'm fuaim tha tighinn uapa
Droch luaidh is mì-rùn.

Riaghladh

Seallaibh air na rìoghachdan
Bho Sìona gu Peru,
Cumhachd aig gach lìogaire
'S gun fìrean anns a' chriùth';
An tuig sibh rud cho neònach,
Gu bheil daoine seòlt' an drast'
Anns gach dùthaich deònach
Na dòlais bhith gu h-àrd?

Nach cianail agus nàr an rud
G'eil gràisg sa h-uile tìr
Air an spiris àrd tha siud
'S gach tàlann orr' a dhìth?
Gun nàir' tha bhathais iarainn,
Ged tha casan crèadh' air làr,
An clab a' spùtadh bhreugan
'S a' chogais shìos mu shàil.

'M beil aon fhear idir ciallach
Na riaghladair an dràst'
A choileanas a bhriathran
'S a chumas rian air cach?
Gun adhaltranas a dhèanamh
No foill a riamh na dhàil,
Gun sgannal no an-diadhachd
Mu ghnìomh san robh e sàs?

Nach beag gu dearbh an t-iongnadh
O chian sa h-uile ceàrn
G'eil daoin' a' sireadh Tighearna
A riaghlas iad le bàidh;
Slànaighear bhios fialaidh,
Gun crìochan air a ghràs,
Agus nèamh le sòlas sìorraidh
Nach fhaigh iad shìos an dràst'?

Saoil sibh an e gnè an t-sluaigh
A chuir truaghain air an ceann?
'N e sinne bhith cho suarach
A leig suas an sgùm a th' ann?
Nach tàinig fear an uair ud
Bha uasal anns gach ceum,
'S nach do chroch sinn suas e,
'S air cabar cruaidh gun cheus?

A' Cuimhneachadh 1945

'M bliadhna tha sinn cuimhneachadh
Le aoibhneas is le bròn
Crìoch a' chogaidh oillteil ud
'S na suinn tha cnàmh fon fhòd.

Bha 'n dòrtadh fala uabhasach,
Bha bhuaidh a fhuair sinn daor,
Bha borbachd agus cruadal ann,
'S bha fuath ann air gach taobh.

Dorchadas gar cuartachadh,
Sia bliadhna bhuan a' strì,
Bhris an latha buadhmhor ud,
Sgaoil uaill air feadh ar tìr.

Ach nis tha leth-cheud bliadhna
Bho chrìochnaich àm ar n-àmhghair -
Na bh' ann tha 'n-diugh air liathadh,
'S cha lìonmhor iad tha 'n làthair.

Chan iarradh laoich a bhàsaich òg
Taisbeanadh làn pròis is uaill,
Paireud is searmon 's òraid mhòr
Nach leòr gun d' fhuair sinn buaidh?

Dh'fhàg iad fhèin càrn-cuimhne buan,
Nach crìon am fuachd 's an aois -
Bheatha làitheil th' aig an t-sluagh
Bho ghlèidh a' bhuaidh sinn saor.

Nach biodh e iomchaidh dhuinn an dràst'
Buaidh sa bhlàr a chur a thaobh,
Rèit' a dhèanamh ri ar nàmh,
Gach tìr sàbhailt', sìobhalt', saor?

Nach b' fheàrr gu mòr ar smaointean
Bhith air an t-saoghal tha teachd
Far an canar faoineas ris,
Bhith caitheamh maoin air feachd?

Nach lìonmhor laoich ar stòraidh?
Nach pròiseil sinn ga h-inns'?
Ach rìgh nan laoch an còmhnaidh,
Am fear nì còrdadh 's sìth.

Amhran a' Chlachain

'S ann air bàrr Chuidhe 'n Dìob a dheothail mi fhìn a' chìoch,
An dèidh cogadh mòr nach fhacas a sheòrs' a-riamh;
Am bàthadh nan seòid, *Iolair* na dòrainn chaidh sìos -
Bha dubhar a' bhròin mar sgòth air clachan is sliabh.

Sna creagan àrd ciar bu mhiann le balaich bhith strì,
Gan dìreadh gun bhròig, gun bhacan le ròp no nì;
As t-samhradh a' snàmh air tràigh na gaineimh ghlain, mhìn,
'N àm cur 's an àm buain bu shuarach againn an sgìths.

Na fir a bha uasal, duineil is stuam' is stòld',
Na mnathan bha suairc, fialaidh is truasail nan dòigh;
Nan tigeadh an t-aoigh, ged 's gann bha 'n cuibhreann de stòr,
Bu chridheil am fàilt' 's bhiodh àite dha aig a' bhòrd.

Chan aithne dhomh ceàrn air thalamh a b' fheàrr do chlann -
Feans no gàrradh cha robh gànrachadh bàgh no gleann;
Fìorghlan bha 'n t-àile, na lochan, an sàl 's an t-allt,
'S gun duin' air an t-sràid a' cleachdadh cànan nan Gall.

Bha sàmhchair sa bhàgh nach fhaighear an dràst' san tìr,
An càirdeas 's am blàths, cha tig iad am dhàil an tìm;
Cha robh eagal do phàist' air cabhsair, sràid no sligh',
Bha nàbachas slàn 's bha àbhachd taigh-cèilidh gun phrìs.

Seo raon-chluiche m' òig', bàghan an t-sòlais dhomh fhìn -
Chan fhaigh mi ann sìos tro aois is siataig is sgìths;
Ach bidh iad nam chuimhne gus an tig oidhche mo thìm,
'S nam shuain air an Aoidh bidh mo thaibhs am bàgh Chuidhe 'n Dìob.

Galar a' Chruidh

Ministear an Tòraidh nach e bha gòrach
Air cùlaibh nan eòlach a' falach,
"Ithibh ur leòr dhith," ars esan mun fheòil ud,
"'Se Làbor 's an dòighean tha salach!"

"Chan eil galar nam bò na chunnart cho mòr
A rèir mar tha eòlaich ag innse,
Cha chreid an Roinn Eòrpa briathran mo bheòil-sa,
'S iad na dòlais as dorra dhomh fhìn."

Tha nise deich bliadhna bho nochd a' bhiast-sa
'S cha do dh'fheuch an riaghladh ri lèirsgrios,
Tha grèim aice 'n-dràst' air sgòrnan a' ghràisg,
A tha dabhdail 's a' dàil gun lèirsinn.

Dè rèist an t-iongnadh nach fhaigh 'ad na dh'iarr 'ad?
Tha 'n Eòrp' air a liathadh le 'n èigheachd,
Bho thàinig an t-aonadh tha iad nan aonar
An aghaidh gach saothair a' geumnaich.

Nach e sannt co-dhiù a th' aig freumhan na cùis?
'S i maoin a tha mùirneach is ainmeil,
'S gann gu bheil diù do àile no brùid,
Cho fada 's a thiùrras an t-airgead.

Tha e soilleir gu leòr dè ghànraich an fheòil,
Mar tha fios aig eòlach is leanaban,
'S e biadh fallain na bà am feur 's am buntàt',
Chan e gaorr is cnàmhan a seanmhar.

Briseadh Dùil

Moch sa mhadainn 's mi nam aonar,
Coiseachd aotrom mar duin' òg,
Tighinn nam chabhaig tro na craobhan,
Sireadh saors' a' chuain mhòir.

Bha ghrian a' danns air sàl a' bhàigh,
Bha eathar bheag mu thràth fo sheòl,
'S bha tè air acair ris an tràigh,
'S chaidh mi gun dàil ga cur air dòigh.

Chaidh mi air bòrd le mo chairt-iùil,
Is thug mi sùil air crann is seòl,
'S mar a b' àbhaist ghabh mi 'n stiùir,
'S abair smùid agam air ceòl.

Dh'atharraich mi sin an cùrsa,
'S thàinig smùid na mara air bòrd,
Siud a' mhionaid anns na dhùisg mi,
'S chaidh mo shùgradh-sa gu bròn.

Chuimhnich mi air làithean grianach,
'S i cur siaban às na tuinn,
Mus do rinn an aois mo chrìonadh,
Mus do thriall mo bhàta grinn.

Nàimhdean ar Cànain

Seall ar cànan is ar ceòl,
Nach neònach na tha nàimhdean ac',
Bho Shasannaich chan iarr thu an còrr,
Gun eòlas air ar cainntearachd.

Bha eagal air a' Ghall o thùs
Ro lùth-laimh ar n-aithrichean,
Do Ghàidhlig chan eil aige diù,
'S ann a lùigeadh e nach maireadh i.

Thig a-nis nas fhaide tuath,
Tha sluagh an sin le aithne ac' oirr',
Ach 's mòr a th' ann tha toirt dhi fuath,
'S tha uaislean ann tha fanaid oirr'.

Ach 's ann tha mhìorbhail ann dhomh fhìn
Nuair chì mi anns a' bhaile againn,
Na ceudan nach can dùrd no bìog
San dìleab dh'fhàg an aithrichean.

Nan robh 'ad fad an dùthaich chèin,
Bhiodh spèis aca dhan chànan sin,
Nach neònach g' eil 'ad dall gu lèir
Don fheum a th' anns a' Ghàidhlig dhuinn.

Gàrradh Eden

Càit' an-diugh am faighear àite,
Daoin' a dh'aithnicheas càch a chèile,
Far 'eil saors' is sìth is sàmhchar,
Aonaranachd gu bràth chan èirich?

Far nach fhaicear glas air seòmar
No air còmhla dachaigh fhèin,
Eagal chan fhaigh àite còmhnaidh,
Eucoir còmhla ris gun spèis.

Far 'eil aoigheachd agus ùidh
Ann an sùil fear is tè,
Nuair thig coigreach orra dlùth,
Sireadh iùil an dùthaich chèin.

Far a bheil an leanabh sàbhailt',
Far 'eil gràdh air fad a rè,
Saor bho chunnart tha na sràidean,
Daoine càirdeil agus trèun.

Far an cuidich daoin' an nàbaidh,
Daoin' air àbhachd aig 'eil dèidh,
Far 'eil earbsa na rud àbhaist,
Far 'eil Gàidhlig aig an treubh.

Chan eil mòran air am fàgail
Bha san àite sin an-dè,
Mus tàinig Mammon air an àrainn,
Mus do bhàth e 'n gnàthan fhèin.

Cha chreid an òige mi an-dràsta,
"Tha do bhàrdachd," their iad "èibhinn,"
Canaidh cuid le snodha-gàire,
"Cò tha creids' an gàrradh Eden?"

Air Acair

Thoir dhòmh-sa là grianach,
Gaoth bho 'n iar-'as fann,
Gun sgòth anns an iarmailt
'S gun stiall air mo chrann;
Sàmhchar ga m' iadhadh
'S creagan ciar os mo chionn,
Gun imridh gun fhiamh
A liathas mo cheann.

Mo bhàt' anns a' bhàgh
Fad o shràidean le fuaim,
Muir làn mar an sgàthan
Gaineamh àlainn mun cuairt;
An acair an sàs innt'
Air càball trì dual,
Lìon mo ghlainne gu bàrr,
Air do shlàinte-sa luaidh.

Chan eil àmhghar a-riamh
A chur sgian na mo chrè,
Nach fhuilinginn fad bliadhn'
Air son mìos an seo fhèin;
Bidh mi taingeil gu sìorraidh
Son gach brèagh' là sèimh,
A chaith mi cho riaraicht'
An dìonachd Sea Jay.

Duais Mo Nighinn

O! nighean mo ghràidh
'S tu dh'fhàg mi subhach an dè,
Nuair a dh'innis mi do chàch
An duais àrd a choisinn thu fhèin;
Tre dhìcheall gun thàmh
Geurchuis is tàlann dha rèir,
Ann an cànan an àigh,
Ghàidhlig bh' aig Adhamh ri Eubh!

A' chiad là riamh
A' chunna' mi d' iomhaigh chiùin,
B' e mo dhòchas 's mo mhiann
Gum buannaicheadh ciall dhut cliù;
Agus ghuidh mi ri Dia
Gun coisneadh do ghnìomh an crùn,
Lìon sin mo chupan gu bheul,
Le aoibhneas lìon e mo shùil.

Tha m' fheasgar-sa ciaradh
'S mo ghrian a' dol ìosal gu luath,
Ach tha mi nis riaraicht',
Tha na dh'iarr mi agam a luaidh;
Ard fhoghlam dham shìol,
(Sochair a riamh a bha uam),
Deagh bheusan 's deagh rian
A choisneas dhutsa gu buan.

Am Bàs

Nam faighinn mo dhùrachd
Bhiodh an ùin' mar srad,
Mar peilear bhon fhùdar,
Mar priobadh na sùla cho grad;
Ach ma bhios mi gun lùths,
M' inntinn gun tùr gun chiall,
Mur a h-aithnich mo shùil,
Mur 'eil dùil ri faochadh bho phian;
Nach geàrr sibh an ròp',
(An t-òrdugh thoir dhaibh a luaidh.)
Leig a-mach mi à dòlas,
Gu sìth ann an seòmar na h-uaigh;
Chan iarrainn diog a bhith beò
Mar glasraich gun threòir gun lùths.

Mo Phòsadh

Tha ochd bliadhna fichead
A-nise bho phòs sinn,
'S thàinig an tinneas
'S na fhilleadh an dòrainn;
Tha 'n aois air ar milleadh,
Tha mir' air a fògradh,
Chan eil dùil ri tilleadh
Gu innis ar sòlais.

Nuair bha sinn fallain le chèile
Mar na fèidh anns a' bhlàr,
Bha sinn dripeil is feumail
Dhuinn fhèin is do chàch;
Ar gaol bha gun bheum ann,
Bha sinn rèidh fad ar là,
'S bho thug sinn an ceum ud
Cha robh te 'ile nad àit'.

Le dùrachd mo chridhe
Tha mi bruidhinn air ar pòsadh,
Chan eil càil na mo shlighe
Lìon mo chridhe le shòlas;
'S ge bith mar a bhitheas
No tha tighinn oirnn de dhòlas,
Bidh dùrachd mo chridhe
Aig an nighinn a phòs mi.

Duanag

Tha m' inntinn tùrsach
'S mo bhrù fo èiginn,
Mo chridh' gun sùgradh
'S e brùit' aig eucail;
Mo chluasan dùinte
'S beag fiù mo lèirsinn,
Mo cheum mi-shiùbhlach,
Mo dhùirn gun ghrèim ac';
Air triall mo lùths
Mo thùr gam thrèigsinn,
Ach 's ioma dùbhlan
Th' air cùl mo cheuman,
'S gun caill mi stiùireadh
Mo chùrs' gun glèidh mi!

Tòmas Morton

Nàmhaid na Gàidhig (Scotsman , An Cèitean, 1994)

Tha Tòmas na sgrìobhaiche ainmeil,
Tha ainm san Albanach tric,
Ge bith cia às a bha sheanmhair,
Chan eil a shearmon mun chànan-sa glic.

Am bruidhinn am bodach ar cànan?
An cual' e ar dàin nach eil gann?
Ma chuala 's cinnteach g' eil nàir' air;
Bheil a chluas cho tàireil ri cheann?

'S lìonmhor nàimhdean na Gàidhlig
Gu h-àraidh an tìr nam beann,
Fir brathaidh sa h-uile ceàrnan,
'S tràillean mar Tòmas le pheann.

Ged a choisneadh e 'n duais as àirde,
Agus moladh bho chàirdean gu lèir,
Mar neoni e an sùilean a' bhàird-sa,
Mar Iùdas grànda, gun spèis.

San uaigh bith Tòmas a' cnàmh,
'S mallachd nan àl na dhèidh;
Ach bidh Gàidheil a' seinn sa Ghàidhlig,
Ri gàgail Thòmais chan èist.

'S iomadh cat a rinn oirre tàire,
Eadar piseagan gràineil is tòmais,
Ach bidh Gàidhlig beò a's an àite,
Fada 'n dèidh bàs nan dòlais.

M' Oilthigh Fhìn

Feuchaidh mi ri sgrìobhadh
Bàrdachd air son innse
Mu làithean a bha prìseil
Nam oig';
Mar a chaith mi 'n tìde
Le aimsir bhlàth shìtheil
Air cladaichean na tìr
Sireadh eòl.

Nuair gheibhinn là dìomhain
Dom oilthigh fhìn dheanainn,
Shìos bho chreagan ciar
An Lot Bhàin;
No uamh air tràigh ghrianaich,
Mo leabhar air mo bheulaibh,
Sàmhchair gam iadhadh
Sa bhàgh.

Nuair thigeadh muir gu lìonadh
Le lib-lab gam iarraidh,
Shadainn dhìom gach stiall
Airson snàmh;
Thigeadh ròn am fhianais
'S shealladh e gu sgianach,
"Gu dè 'ille as ciall dhut?"
E 'g ràdh.

Bhiodh biast-dhubh a' còmhnaidh
Sna geodhaichean ud còmh' rium,
A' cluiche bhiodh 'ad daonnan
Cho dòigheil;
Proifeasair cha robh làthair,
No tidsear nam àrainn,
A chuireadh ceart no ceàrr
Mo chion-eòlais.

Sa gheamhradh ann an seòmar,
Clòsaid fhuar dhùbhlaidh,
'S mo leabhar air mo ghlùinean
Mar bhòrd;
'S fad trì bliadhna
Lean mi san dìol-sa,
'S chì mi nis gum b' fhiach e
Barrachd air òr.

'S bochd nach d' fhuair mi
Don oilthigh làn uairean,
'S mo mhiann cho buan
Air eòlas;
Ach O! bha mi nuair sin
Fo ghlasan a' chruadail,
'S bochdainn mo shluaigh
Na dòrainn.

Alba fo Chìs

Nuair thàinig a' mhadainn
'S ann againn bha fuachd,
Thàinig àithne bho Shàsainn
A' spad ar mèinn' guail.

Madainn eile nuair dhùisg sinn
Thàinig ùghdarras cruaidh,
Ar gàrraidhean cliùiteach
A' dhùnadh an Cluaidh.

Na gàrraidhean mòr ud
Sna thòisich ceud bàt',
Nach robh leithid a' seòladh
O thog Nòah an àirc.

Thàinig òrdugh à Sàsainn
Dh'fhàg Ravenscraig fuar,
Mhùch iad a lasair
Agus sgiùrs 'ad a sluagh.

Rosyth air a spùinneadh
Dè chaomhnas na seòid?
Bheir 'ad Alba gu glùinean,
'S ann dhan deòin tha i beò.

Tha mhadainn tighinn dlùth
A dhùinear gach àird,
Bha fosgailt' bho thùs
Ann an dùthaich ar gràidh.

Na beanntan fo ghlasan,
Na gleanntan fo mhaoir
Na monaidhean farsaing
Cha choisich sinn saor.

Aig Sasainn ar riaghladh,
Aig tighearnan ar tìr,
'M bi Alba gu sìorraidh
Aig na diabhail fo chìs?

Sprèidh mo Leanaibh

Bha gobhar geal aig Seonag,
Na leanabh beag bìodach,
Uan beag an donais,
Cha b' aithne dha ach mì-mhodh.

Chagainn e na pàipearan
Air an robh mi sgrìobhadh,
Nuair chaidh mi na dhèidh san,
Gu druim an taighe dhìrich.

Bha cat aic' bha fiadhaich
Is sianar de dholaichean,
Ach 's e 'n gobhar ud a liath mi
A' stialladh a' gholliwog.

Bha ciora bheag gun chiall aic,
'S e ghrìosach bu docha leatha,
'S e lùiginn dhan ghèadh aic'
Iall leis an crochainn e.

'S ioma là a chàin mi
An t-àl a bha maille rium,
'S e a ghlèidh iad sàbhailt',
An gràdh a bh' aig mo chaileig orr'.

An Uair Ud

Sa mhadainn an-còmhnaidh
A thigeadh an t-òrdugh,
'S dheigheadh liost' air a' bhòrd
Le cò bha dol ann;
Thigeadh iomnaidh mar sgòthan
A' mhùchadh gach sòlais,
Bhiodh feitheamh gar leònadh
Le dòrainn nach gann.

Bhiodh an saoghal na shuain
Nuair a dhìreadh sinn suas
Os cionn a' Chuain Tuath
Don fhuachd 's a' ghailleann;
Thigeadh losgadh an nàmhaid
Gun abhsadh an-àirde,
Bhiodh an t-adhar dheth làn
Gun àit' airson falach.

Spreadhadh tric gar n-iathadh,
Sgailc aig air gach cliathaich,
A' tolladh 's a' reubadh
Na h-iarmailt nar sealladh;
Nar cuinnlean neo-chùbhraidh
Bhiodh fàileadh an fhùdair,
Solais-lorg a' tighinn dlùth,
'S ar sùilean dhan dalladh.

Mo smuaintean an tràth sin,
Nam faighinn às sàbhailt'
Gu dùthaich mo mhàthar
'S a sàmhchair bith-bhuan;
Gun caithinn mo làithean
Nam shìneadh air tràighean,
Ag èisteachd neo-shàraicht'
Ri gàirich a' chuain.

Their eòlaich is càirdean,
"Ge b' oillteil an gàbhadh,
'S ge b' oil leis an nàmhaid
Nach do thàrr thus' às?"
Chan e peilear a bhuail orm
Tha 'n-diugh ga mo bhuaireadh,
Chan eil là on uair ud,
Nach robh nuair ud air ais.

Aig an Lochan

Chaidh mi fhìn 's mo bhràthair
A-mach air là na Sàbaid,
Slatan nar làmhan
Gun fhios do dhuine beò;
Bha là blàth grianach
A' tighinn gu feasgar fèathach,
'S dh'fhalbh sin a dh'iasgach
Nar balaich òg.

Bha lochan anns a' mhòintich
Fad bho àite còmhnaidh,
Le uisge domhainn dùbhlaidh,
Dachaigh nam breac mhòr;
Shuaidh sinn air a' bhruaich aig',
Blàth an fhraoich mun cuairt oirnn,
'S air lianaig bhig uaine
Dh'ullaich sinn ar còrd.

Chan e gun ghlac sinn mòran,
Ach abair thusa còmhradh,
Mar a gheibheadh sinn ar beò-shlàint
'S a dhìreadh sinn gach beinn;
Dh'aontaich sinn ri chèile
Gum biodh an rathad rèidh dhuinn,
Gun guth air iomadh èiginn
Bha feitheamh ann rinn.

Cha do smaoinich sinn an uair sin
Gu sgaradh tìr is cuan sinn,
'S gum biodh esan ann an uaigh
Taobh thall an t-sàil;
Tha mise an-diugh nam aonar
Air bruaich an lochain aognaidh,
'S bu shuarach leth mo shaoghail,
'S e bhith rim thaobh an-dràst'.

Crìoch mo Rathaid

Dè 's ciall a bhi 'g ràdh
Aig crìoch mo rathaid,
Gur cìanail an là
Th' agam fhìn?
Ged 's minig mi tinn,
Am mionach no 'n druim,
O dh'imich an t-seinn
As mo chridh'.

Tha mòran 's gach àit'
Le dòrainn is cràdh,
Gun dòchas ri tàmh
Ann an tìm;
Anns gach linn agus àl
Cus tinn is gun stàth,
Streap beinn' chun a' bhàis
Anns gach tìr.

Bha bliadhnaichean mòr
Le grian agus òig',
Gun pian no bròn
Na mo shligh';
Mi siùbhlach neo-shàraicht'
Sùbailt' is làidir,
Toirt dùbhlan do chàch
Ann an strì.

Choisinn mi lòn
O thoiseach mo bhòids',
'S iomadh oisean de eòl
San robh mi;
Abhachd is gàir',
Càirdeas is gràdh,
Cadal is tàmh
An dèidh sgìths.

An còir a bhith caoidh
Nuair thig sgòthan na h-oidhch',
Gach ceòl agus seinn
Oirnn a dhìth?
Fhuair mi cuibhreann
Nas luachmhor na saidhbhreas,
Bean uasal, clann choibhneil
'S mo dhachaigh fhìn.

Chan iarrainn bhith beò
Air crìochan aois mhòir
Gun fhiach, gun threòir
'S gun bhrìgh;
'S e lùiginn san uair
Bhi dùinte nam shuain,
Gun dùsgadh gun gluas'd
Ann an tìm.

Nuair a Lìonas 'ad M' Uaigh

Dha Joan

Nuair a lìonas 'ad m' uaigh
Tiormaich do ghruaidhean a ghràidh,
'S na smaoinich aon uair
Cuir cuimhneachan suas no clàr,
Ag innse dhan t-sluagh
Far an laigh mi gu buan nam thàmh;
Chan fhaighear 's cha d' fhuair
Sa bheatha seo duais nas àird
Na 'n gaol thàinig uat,
Toil-inntinn gun thruaill a' bhàird;
'S mo ghràdh ort a luaidh
A shamhail cha shuath riut gu bràth,
Ach nuair a lìonas 'ad m' uaigh
Tiormaich do ghruaidhean gun dàil.

An Clachan

Tha 'm baile againn làn dhaoine
Tha bruidhinn cànan cèin,
'S na cleachdaidhean bu chaomh leam
A-nis air call an grèim.

Tha Ghàidhlig leis an tùchadh ann
'S i dlùthadh ris a' bhàs,
'S nuair a thèid a mùchadh ann,
'S iomadh fiù thèid fàs.

Ma dh'fhuadaichear an cànan
'S nach cluinnear ann ach Goill,
Gearraidh sin an snàithlean,
'S an càirdeas bh' ann cha thill.

Bha aoigheachd anns a' chlachan
Nach fhaic mi ann an tìm,
Measg ar bochdainn leis a' bhrochan,
An t-aran coirc' 's an t-ìm.

Bha eòlas aig gach duine againn
Air suidheachadh a chèile,
Ar sinnsireachd nach b' aithne dhuinn,
Bha 'n eachdraidh againn glèidhte.

Nan èireadh beud do chuideigin
Bha 'n clachan uil' fo uallach,
Gun phàigheadh thigt' a chuideachadh,
No smaoin air càil cho suarach.

Chan eil tìd' aig duin' a-nis
A thighinn a-steach gu cèilidh,
'S gach fasan ùr a tha tighinn ris
A' sgaradh dhaoin' bho chèile.

Ach 's dòch' gu fàg a' Ghàidhlig bhlàth
A mìlseachd às a dèidh,
'S gun dèan sin fhèin an coigreach tlàth,
Tha bruidhinn cànan cèin.

Fàs Caol

'S e fasan an-dràsta
Bhith tana sna màsan,
Sa mhionach gu h-àraidh,
Mo nàire m' fhear fhìn;
Am builgean mòr grànda
Mar puta gus sgàineadh,
Nuair sheallainn san sgàthan
Bhiodh cràdh na mo chrìdh'.

Eòlach air gach dòigh mi,
Gach riaghailt bidhe neònach
A gheall gu seac 'ad bòcadh
Le eucoirich sgrìobht';
An cogais dall is breòite,
Sionnaich am measg geòidh 'ad;
Breugach, meallta, seòlta
Nan dòlais a's an tìr.

Coma leat dhe na Sàtain,
Do riaghailtean fhèin as fheàrr dhut,
Dean liost' den bhiadh as càilear,
Ach na cuir làmh air mir!
Tha iasg is eun san àithne,
Tha curran, sneap is càl innt',
Aran donn 's buntàta
'S measan dhà no thrì.

Thoir d' aghann dha do nàmhaid
'S do bhotal dha do chàirdean,
Cuir geir fad às d' fhàire
'S ruith dà mhìle;
'N dèidh trì clachan d' fhàgail
Mothaichidh do nàbaidh,
Ach 's e bhios e 'g ràdh riut,
"'N i do shlàint' a dhìobair?"

Chan e 'm biadh as caomh leat
A charaid a nì caol thu,
Ach na sheachnas tu daonnan
'S do smaoin air gach tràth;
Làithean bidh thu aotrom,
Faireachdainn mar faoileig,
Canaidh d' inneal a' chaochladh
'S tu glaodh g' 'eil e ceàrr.

Sann mar a thachair dhomh fhìn
Tha am pìos seo ag inns',
'S mo bheannachd aig mìltean
Tha strì na mo cheum;
Ach cuimhnich air aon nì,
Ged gheibh thu sult fo chìs,
Bidh thu cogadh ris an tìm,
Fad na tìde leat fhèin.

Iomhaigh Diùc Chataibh

An tùr ud air a' bheinn
Mar chraoibh thinn gun duilleach,
Nach adhbhar nàir' e dhuinn
'S am fang neo-ghrinn na mhullach.

Cò leughas an stòraidh
Làn fòirneirt is mulaid,
Gun faireachdainn brònach
Mu dhòighean a' bhurraidh?

Cò thuigeas an àmhghar
Cò ni tàir air an leòn?
Bha an tughadh na smàl,
'S glaodh a' bhàis anns a' cheò.

A shaoghal fhèin gun dìth
Cha robh sgìths ann no pràmh,
Beò air reamhrachd na tìr,
Thug e 'mìr à beul chàich.

Ach cha leagainn an diùc,
Dh'fhàgainn an tùr an-àird,
Dhèanainn feum leis an stùc
Dh'fhosgladh sùilean gach àl.

Air a' chlàr bhiodh an fhìrinn,
(Tha i dhìth air an-dràst'),
Thèid olc an diùc innse,
'S thèid a dhìteadh gu bràth.

Chuirinn còrn-ceò na bheul
Le mèilich caora bhàn,
An ceòl a b' fheàrr leis air sliabh
Na Ghàidhlig chiatach, bhlàth.

Cìan nan cian bidh e 'n-àird
Le bàà bàà anns a' cheò,
Cur an cuimhne gach àl
An t-olc a shàraich na seòid.

Nuair a shèideas an còrn
Togaidh òisgean an cinn,
Nach do chuir e nan còir
Aite còmhnaidh nan suinn?

Briseadh Latha

Moch sa mhadainn dh'èirich mi
'S an cruinne-cè dhomh òg,
Nam bhalach fallain geurchuiseach,
Bha dèidh agam air eòl;
Bha ghrian aig bonn nan speuran
Air ruagadh reul is sgòth,
'S i deàlradh air an uisge rèidh
Dhèanadh eudmhor airgead beò.

Laigh mi anns an fheur gu h-àird
Air bàrr nan creagan ciar,
Chunnaic mi bhiast-dhubh a' snàmh
'S a' tighinn gu tràigh le biadh;
Ròn na chadal anns a' bhàgh
Gun càil ach sròn air sgeul,
'S thàinig sgarbh a-mach à sàl
Is sgaoil ri blàths gach sgiath.

Gu h-àird bha uiseag a' sgaoileadh a ciùil
Cha dhearcadh mo shùil oirre fhèin,
An traon le torghan air mo chùl,
'S an guilbneach subhach air sgèith;
Coinean a' creimeadh feur fon drùchd,
'S na flùran a' dathadh an t-slèibh,
Briseadh an là ud a chunnaic mo shùil
Tha nam chuimhne cho dlùth ris an-dè.

Bha mi 'n iomadh àite bòidheach
Air tìr mòr 's an tìrean cèin,
Ach nam chuimhne an-diugh tha sgleò orr'
Ged a chòrd 'ad rium gu lèir;
Ach a' mhadainn ud nam òige
Bha cho òirdhearc agus sèimh,
Cha tig smal oirr', cha tig ceò oirr'
Chan eil sgòthan ann an nèamh.

Mo Nighean

'S tu fàth mo shaothair
Mo mhaoin agus m' àgh,
Cuspair mo smaointean
'S gu daonnan mo ghràdh;
Mo shaoghal as d' aonais
Nach b' aognaidh e 'n-dràst',
Agus inbhe measg dhaoine
Nach b' fhaoineas nad àit'?

O chunnaic mi d' ìomhaigh
Tha grian na mo speur,
Blàths a's an iarmailt
Is fèath ann dha rèir;
Chan eil sealbh ann nach iarrainn
Dha d' chiall is dha d' chrè,
'S tu 's prìseil nam fhianais
Tha ìosal fo nèamh.

'S e mo ghuidhe 's mo dhùrachd
Mus dùinear mo rèis,
Faicinn le m' shùilean
Do chùisean tighinn rèidh;
Do làmh air an stiùir
'S cairt-iùil agad fhèin,
Agus lànachd mo dhùil
A' tighinn dlùth air do cheum.

Là Naomh Anndra (1964)

Nuair bhios mi brònach
Is fann mo dhòchas,
Gun agam sòlas
Na slàinte fhèin;
Thig d' ìomhaigh òg-sa
An uair sin còmh' rium,
A' sgaoileadh sgòthan
Mar bhlàths na grèin'.

Air mo chùlaibh
('S tric mo shùil air),
Tha briseadh dùil ann
Is iomadh leòn;
Ach teichidh tùrsa
'S nì mì sùgradh,
Nuair chì mi rùin thu
Na d' leanabh òg.

Mo shaoghal cho ciar,
Mo speur gun ghrian,
Gun smaoin air sìon
Ach dreuchd is lòn;
Thàinig thu bhliadhn' ud
Là Anndra diadhaidh,
'S thug freasdal dìomhair
Na dh'iarr mi dhòmhs'.

Amhran a' Phìleit

Mo chailin àlainn
Ma rinn thu m' fhàgail,
Ged 's goirt mo chràidh-sa
Cha ruith nad dhèidh mi;
Ma fhuair thu fàbhar
Bho fhear as àill leat,
Mo shoraidh slàn
Le ar gràdh 's ar rèite.

Tha mis' an-dràsta
Sna speuran àrda,
Sa chogadh ghràineil
Tha gam lèireadh;
Tha d' fhear-sa sàbhailt'
An dreuchd ro phàighte,
'S do ghuth ga thàladh
Gach là a dh'èireas.

'S garbh an oidhche
'S mo chluais a' cluinntinn,
A' losgadh cinnteach
Gach taobh a thèid mi;
Gach gunna marbhtach
'S na solais-lorg ud,
'S mi ac nam thargaid
Mar ainmhidh slèibhe.

An cridh' a chràidh thu
Ged 's brùit' an-dràst' e,
Cha bhris gu bràth e
Air son do chrè-sa;
Tha roth gun tàmh aig
'S ar dàn an sàs ann,
'S cha tig muir-tràigh
Gun muir-làn an dèidh sin.

Tha pròis Chlann Dòmhnaill
Gu daonnan còmh' rium,
'S do bhròn no tùrsa
Aon unns' cha ghèill mi;
'S ma thig mi beò
As a' ghàbhadh mhòr-sa,
Ni mise pòsadh
Tè òg bheir spèis dhomh.

Nì tìde slàn mi,
'S ni chràidh-sa m' fhàgail,
Thig làithean bàidheil
Is deàlradh grèine;
'S bidh caileag bhòidheach,
Tè earbsach stòlda,
Chan i do sheòrsa-sa
Rinn mo cheusadh.

Nuair gheibh sinn buaidh
Air Adolph suarach,
'M bi cuimhn' an uair sin
Air uair na h-èiginn?
No 'n dèan ar rìoghachd
Bha riamh cho spìocach,
Mar rinn mo nìghneag,
Mi fhìn a thrèigsinn?

Aithreachas

Far am faigh e grèim
Tha lighichean gun fheum,
'S chan eil truas na cheum
A' còmhnaidh;
Aithreachas o chian
Son na thuirt am beul,
Gun duin' a-nis air sgeul
Dhe na leòn e.

Thig e ort gun iarraidh,
Bidh cuimhn' aig air do bhriathran,
Cha shlànaich e gu sìorraidh
Do bhòidean;
Seo aon lus a dh'fhàsas,
Thigeadh fuachd no blàths air,
Nach iarr uisg san fhàsach
Ach do dheòir-sa.

An dleasdanas a thrèig thu,
Do luchd gràidh a lèir thu,
'S d' eòlaich bha cho spèiseil
Nan dòighean;
Chan fhaigh thu nis air innse
Am pian a tha nad inntinn,
Tha iadsan air an sìneadh
Fuar reòta.

Chan eil feum no stàth ann
Bhi guidhe no bhith rànail,
Cha dubh 'ad às càil dhut,
Cha bhàth 'ad bròn;
Ach dh'fhaodadh sinn an-dràsta
'N clàr aost' a chur à fàire,
Cur duilleag ùr na àite
Fhad 's a bhios sinn beò.

Gu tric 's e mì-chùram
A dh'fhàgas gun diù sinn,
Agus aineòlas air stiùireadh
Nar n-òige;
'S truagh gur e 'n fhìrinn,
Nach eil air ais an tìm ann,
Oir cò nach dèanadh dìcheall
Son ceartachadh gòraich?

Sòlas

Chan iarrainn san t-saoghal
Ach bàgh fo na craobhan,
Le fasgadh bho ghaothan
A sgaoileas bhon iar;
Mo dhachaigh rim thaobh ann,
M' eòlaich 's mo dhaoine,
Mi fhìn 's mo bhean ghaolach,
Gus am faodadh sinn triall.

Bhiodh gaineamh is làthaich
Air iochdar mo bhàigh-sa,
Bhiodh m'eathar na tàmh ann,
'S a caball ga dìon;
Bhiodh geòl' air an tràigh
Ann an cladhan beag sàbhailt',
'S na ràimh air an càradh
Nan àite le iall.

Gu tric nuair a dh'èirinn
O thigeadh an Cèitean,
Fo dheàlradh na grèine
Sann rèidh bhiodh an cuan;
Bhiodh m' eathar gun bheum
Air a h-acraichean fhèin,
'S a faileas cho sèimh
Ri mo chèile na suain.

Dh'fhalbhainn an uair sin
'Son aodach chur suas oirr',
Nan sèideadh bho thuath
Gaoth fhuar na mo sheòl;
Bhithinn saor airson uairean,
Mo shòlas gun thruailleadh,
'S farmad cha bhuaireadh,
'S gun m' uallach ro mhòr.

Fhuair mi mòr làithean
Dhen bheatha ro àghmhor,
'S nam chuimhne gu bràth
Cha bhi sgàil oirr' no sgleò;
Ach mar aisling ro àlainn
As na dhùisgeadh car tràth mi,
Saoilidh mi 'n-dràsta
Gun bhàsaich i òg.

O Thàinig an Aois

Tha 'n sàmhradh a' tighinn, a' tighinn, a' tighinn,
Tha 'n samhradh a' tighinn gu innis an fhraoich,
Ach an t-aoibhneas a b' àbhaist bhith agam an-dràsta,
Cha till e gu bràth rium o thàinig an aois.

Bha là dhèanainn earrach, mòinteach is bealach,
Shiùbhlainn fo eallach gun anail gun sgìths,
Spealainn am bàrr agus sheòlainn am bàt',
'S chan iarrainn gu tàmh air muir no air tìr.

O ghiorraich an anail chan fhàg mis am baile,
Chan fhaigh mi gu abhainn gu cladach no caol,
Chan fhaigh mi fo sheòl far an robh mi mion eòlach,
'S cha shnàmh mi san òb air an òg chuir mi gaol.

Tha mi fo ghlasan aig laigse nan casan,
Cha shiubhail mi claisean no creagan nam bàgh,
Cha dhìrich mi bheinn far an deighinn gun suim,
'S cha chluinn mi na tuinn a' toirt nuallan air tràigh.

Mo bheatha nam inntinn mo bheò na mo chuimhne,
Na làithean bha aoibhneach nach till rium an tìm,
Ged nì sàmhradh an-dràsta cur dreach air gach àite,
Tha mo gheamhradh-sa 'm fàire 's tha sneachd air mo chridh'.

Nach bochd gu bheil aois ann 's nach tig i na h-aonar,
'S truagh nach eil daoine fhuair bliadhnaichean mòr,
Fallain is làidir gun tig eucail a' bhàis orr',
Gun euslaint nan àrainn fad làithean am beò.